La memoria

385

Andrea Camilleri

La bolla di componenda

Sellerio editore
Palermo

1993 © Sellerio editore via Siracusa 50 Palermo

1993 © Prima edizione «Quaderni della Biblioteca siciliana di storia e
      letteratura»

1997 © Prima edizione «La memoria»

2000 Tredicesima edizione

Camilleri, Andrea <1925>

La bolla di componenda / Andrea Camilleri. - 13. ed. - Palermo:
Sellerio, 2000.
(La memoria; 385)
ISBN 88-389-1368-4
858.91408   CDD-20

CIP - *Biblioteca centrale della Regione siciliana*

La bolla di componenda

Ad Andreina, a Elisabetta,
a Mariolina: così mi spiego meglio

Primo

«Travagliari» – o meglio «travagghiari» – in siciliano significa semplicemente lavorare, senza fare differenza tra lavoro pesante, spaccareni, e lavoro leggero,
di sola testa e magari di piacimento. In italiano invece le cose cangiano di radica: sempre e comunque tra-
vagliare implica grave pondo di fatica, sforzo, doloranza;
si usa dire infatti del travaglio del parto oppure, in discorsi superni, ci si compiace del travaglio dell'anima.

Per trenta e passa anni ho travagliato, prima in dia-
letto poi sempre più in lingua, presso la radiotelevisione
di stato, in qualità di regista e produttore di spettaco-
li. E così un giorno di troppo tempo fa venni invitato
a occuparmi della regìa di un'inchiesta televisiva intitolata *Ritratto di famiglia,* in sei puntate, che avrebbe
dovuto fornire uno spaccato dell'Italia com'era in quel
momento, analizzando la vita di alcune famiglie tipo,
da quella di un disoccupato a quella di un importante
manager. Il mio primo istinto fu di rifiutare, potevo co-
modamente addurre il pretesto che il mio impiego era
per contratto previsto come regista di spettacolo (di *fic-
tion* si direbbe oggi) e quell'inchiesta certamente spettacolo non era. Pretesto, ho detto; perché la vera ra-

gione del mio impulso al rifiuto era altra e allora non comoda a spiegarsi.

Adesso, invece, mi spiego. Essendomi dedicato tutta la vita a ingannare la gente attraverso *l'illusion comique,* non avevo nessuna gana di principiare a ingannarla – e questa volta assai più sottilmente – attraverso *l'illusion sociologique.* Non ci voleva infatti grande ingegno né profondo acume per capire dove tutta quella facenna sarebbe andata a parare: nella prevista discussione che ad ogni puntata doveva far seguito, torme di politici sociologi parrini esperti statistici tecnici psicologi e via bellamente processionando si sarebbero affrettate a spiegare all'urbi e all'orbo come qualmente, fatta eccezione di qualche piccolo neo dovuto a distrazione, meglio di come si stava nel nostro paese non si sarebbe potuto stare.

A farmi cangiare parere fu l'apprendere il nome di chi aveva ideato e direttamente avrebbe condotto il programma: era quello di Giorgio Vecchietti. Non l'avevo mai visto di persona, conoscevo invece molto bene suo fratello, uomo di teatro, che firmava le sue commedie col nome di Massimo Dursi. Le voci su di lui riferivano che si trattava di un galantomo e di un buon giornalista, uno insomma col quale ci si poteva ragionare. E questo garantiva un discreto equilibrio all'inchiesta. Inoltre, dicevano sempre le stesse voci, era un bolognese attento a non smentire la sua natura e quindi pronto a gustare la buona tavola e la piacevole compagnia. Però il mio interesse per lui nasceva in prìmisi dal fatto che, giovanissimo, era stato condirettore della rivista «Primato», a fianco di Giuseppe Bottai, specie più unica che rara di gerarca dotato d'intelligenza e cultura.

Proprio sulle pagine di quella rivista che fortunosamente arrivava nell'unica edicola del mio perso paese siciliano, io mi ero in certo modo formato, spendendo vista e nottate a leggere saggi, racconti e poesie. Ricordo che la recensione di Giaime Pintor a un libro di Ernst Jünger, *Sulle scogliere di marmo*, mi fece firriare intontonuto per le vie del paese sotto un bombardamento aereo con la gente che mi faceva voci di correre al rifugio e ricordo magari che il dibattito sull'esistenzialismo, al quale partecipavano Abbagnano, Paci, Della Volpe e altri ebbe su di me come conseguenza una leggera febbre accompagnata da eruzioni cutanee.

Conosciuto Vecchietti, principiai, nelle pause del lavoro, a fargli domande su domande intorno a persone e avvenimenti del periodo passato a «Primato», e la mia insistente curiosità forse fece sì che magari lui principiasse a incuriosirsi di me. Fatto sta che pigliammo a uscire assieme e a parlare l'uno dell'altro non certo in confidenza (correvano troppi anni fra di noi) ma sicuramente in tranquilla amicizia. Una sera, mentre stavamo mangiando, mi contò una cosa che gli era successa tempo prima e che para para trascrivo.

Come saprai, per un certo periodo sono stato direttore del telegiornale della seconda rete, di area laica. Il mio proposito era di fare un giornale più mosso e vivo rispetto a quello della prima rete, che era accademicamente governativo. Così, cominciai col togliere di mezzo quei servizi che mi parevano minori e di nessun interesse nazionale. Abolii, per esempio, quelli che si riferivano al «taglio del nastro» oppure alla «posa della prima pietra». Cioè a dire: minuti preziosi del notiziario venivano dedicati a un sottosegretario che posava la prima pietra dell'erigendo canile municipale a Piovasco di Sotto o a un onorevole di riguardo che tagliava il nastro di una nuova mulattiera tra Pantano e Pozzanghera, ridenti paesini delle montagne friulane. Erano chiaramente servizi sollecitati dal politico locale per esaltarne l'immagine o per scopi puramente elettorali. Ebbi qualche rimostranza ma la cosa finì lì. Un altro tipo di servizio che abolii era quello che si poteva intitolare «Brillante operazione della Guardia di Finanza». La sequenza visiva era sempre la stessa: una motovedetta della Guardia di Finanza si accostava a un natante, nave o peschereccio che fosse, i militi andavano all'arrembaggio, dalla stiva cominciavano ad emergere casse di sigarette di contrabbando, sempre e curiosamente della stessa marca (ma questo lo visualizzai dopo l'incontro che sto per dirti) che venivano poste sotto sequestro. Qui non potevano esserci rimostranze e infatti non ce ne furono: i servizi tranquillamente sparirono. Qualche tempo dopo mi stavo dirigendo a piedi verso casa nei pressi del Pantheon, era un mite ottobre romano che proprio invogliava alla passeggiata. Stavo percorrendo una via molto stretta quando dietro di me lampeggiarono i fari di un'auto. Credendo che volesse strada, mi accostai al muro. Invece, arrivata alla mia altezza, l'auto, una macchina di gran lusso, si fermò dolcemente, vidi aprirsi lo sportello posteriore e sentii una voce civilissima e suadente invitarmi:

«Dottor Vecchietti, mi permette di accompagnarla a casa?».

Mi sembrò scortese rifiutare. Montai e la macchina si mosse lentamente. Dentro aleggiava l'odore di una raffinata colonia, le fodere erano di cuoio autentico. Pur con la poca luce, mi resi conto di non aver mai visto prima l'uomo che mi sedeva accanto.

«Ci conosciamo?» domandai.

«Lei non mi conosce. Io invece la conosco di fama».

«Oddio, di fama!» mi schermii.

Ci fu una pausa brevissima. Poi quel sessantenne urbano e distinto venne al dunque.

«Il nostro incontro non è dovuto al caso. L'ho fatta seguire dal mio autista fin dal momento in cui è uscita dall'ufficio. E non era mia intenzione disturbarla né a casa né al suo posto di lavoro. Avrei da sottoporre un piccolo problema alla sua squisita cortesia».

Non mi stava chiedendo un favore. Agiva da inglese come inglese era la stoffa del suo vestito. Proseguì senza darmi il tempo di un commento.

«Lei ha dato ordine ai suoi redattori di non effettuare né trasmettere servizi dedicati all'eliminazione del contrabbando di sigarette. Vorrei farle capire come questa sua disposizione finisca col ledere precisi interessi».

«Lei appartiene alla Guardia di Finanza?» sbottai, alquanto irritato.

Il signore mi guardò stupito.

«Io?! No, lei è del tutto fuori strada. Cercherò di spiegarmi meglio che posso. Dunque, il Comando della Guardia di Finanza di, mettiamo, Barletta, riceve una soffiata come si dice in gergo, una segnalazione anonima. Però così circostanziata da essere degna di fede. In una data precisa, alle ore ics di notte, a tante miglia dalla costa, una nave contrabbandiera sarà in attesa dei mezzi di trasbordo della merce. Contemporaneamente con lo stesso sistema viene avvertito il corrispondente locale del telegiornale, il quale tanto si mette a brigare che alla fine vien fatto salire a bordo di una motovedetta. Anche lui deve fare il suo mestiere, no? L'operazione ha successo, il tutto viene filmato e trasmesso. E così ognuno ha avuto il suo tornaconto. Mi sono spiegato?».

«Lei si sarà spiegato benissimo» ribattei «ma io non ho capito niente lo stesso».

Paziente, sempre sorridente, il signore ripigliò a parlare.

«Mi segua con attenzione, per favore. Per merito della cosiddetta brillante operazione, le guardie impegnate ricevono elogi, encomi e promozioni. Soddisfatti, riposano un poco sugli allori, quel tanto che basta perché il contrabbando possa, in quella zona, continuare indisturbato. È chiaro, ora?».

«Chiarissimo. A rimetterci è solamente la società che produce le sigarette».

Il signore si permise una risatina educata.

«Sta scherzando, vero? L'operatore televisivo ha filmato casse che, contenendo merce di contrabbando, dovrebbero essere rigorosamente anonime. Invece, guarda caso, su ogni cassa c'è stampata, a caratteri cubitali, la marca delle sigarette. Quando quelle immagini passano in televisione, equivalgono, egregio amico, esattamente alla spesa che si sarebbe dovuto sostenere per un carosello pubblicitario».

Rimasi senza parole. Eravamo intanto arrivati nella strada dove avevo casa.

«Io abito al numero...» cominciai.

«Lo sappiamo» disse il signore stringendo calorosamente fra le sue la mia mano. «Ci rifletta, dottor Vecchietti. Non spezzi un equilibrio, non rompa una componenda faticosamente raggiunta».

«Componenda?».

«Sì, un patto non scritto, un gentleman's agreement».

Ero arrivato, scesi.

Questo, parola più parola meno, il racconto di Vecchietti. E voglio dire subito che oggi, sul finire del millenovecentonovantuno, mentre lo scrivo, mi diventa una storia più lontana dell'ammazzatina di Giulio Cesare.

Pensare, ai giorni nostri, che un uomo con incarichi di responsabilità se ne vada in giro a tambasiare senza scorta armata e con cuore leggero accetti l'invito di uno straneo, è cosa assolutamente inconcepibile. Anzi dirò che ancora più impensabile è che dentro quell'auto

17

possa trovarsi una persona come quella descritta da Vecchietti, disposta a spiegare, a fare uso della ragione. Sono persuaso che ai giorni nostri a lampeggiare alle spalle di un giornalista, reo di uno sgarro sia pure involontario, non sarebbero stati i fari ma i colpi di un micidiale kalashnikov.

Per tornare al discorso: nel momento in cui Vecchietti pronunciò quella parola, «componenda», un'eco, di cui non seppi individuare subito il punto di partenza, cominciò a rimbalzare di anfratto in anfratto nella mia memoria poi definitivamente si perse.

Secondo

Un lontano brillìo della componenda tornò ad affiorare, anni appresso, mentre stavo sceneggiando, con due amici, *Più fucili che pane,* un momento del «brigantaggio» postunitario nell'Italia meridionale. Brigantaggio l'ho scritto tra virgolette per farmi arrasso dalle tesi della storiografia ufficiale, almeno come ancor oggi risulta dai libri di scuola, che mistificano, spacciano per banditismo quella che in realtà fu anche una gigantesca rivolta contadina. E valgano le cifre. Dal *Quadro numerico approssimativo* fornito dal «Gran Comando militare di Napoli» (approssimativo per «mancanza di tempo» specifica lo stesso estensore del rapporto, generale Pompeo Bariola, personaggio che ritroveremo in seguito) e da altri documenti ufficiali risulta che la repressione contro il «brigantaggio», nel periodo compreso tra il primo giugno 1861 e il 31 dicembre 1865, portò a questi risultati: fucilati o uccisi in combattimento: 5.212; arrestati: 5.044; presentatisi (arresisi cioè): 3.587; per un totale di 13.843 persone. Traggo questi dati dalla più che documentata *Storia del brigantaggio dopo l'Unità* di Franco Molfese (Milano, 1964). Un po' troppi per trattarsi di puri e semplici ban-

19

diti da strada. E del resto uno scrittore abbastanza lontano dai problemi del meridione come Riccardo Bacchelli tutto questo l'ha intuito nel suo bel racconto *Il brigante di Tacca del Lupo*. Comunque fra quei morti c'era sicuramente incluso l'eroe della nostra storia, quella che stavamo sceneggiando, il generale spagnolo José Borjes. Borjes era nato in Catalogna ed era figlio di un ufficiale fucilato nel 1833: aveva partecipato alla guerra partigiana carlista e da semplice sottufficiale era diventato, nel 1840, comandante di brigata. Andato in esilio, aveva vissuto a Parigi come rilegatore di libri e qui era stato scovato e arruolato dal comitato borbonico presieduto dal principe di Scilla. Gli venne assegnato il compito di sbarcare in Calabria e di assumere il comando di tutte le forze filoborboniche, briganti e no. A metà settembre del 1861 toccò terra a Bruzzano, sul litorale jonico, con diciassette compagni da lui personalmente convinti all'impresa. Era partito da Malta. In pochissimo tempo si fece alleato un ex sottufficiale borbonico diventato brigante di primissimo rango, Carmine Crocco, e diede inizio a una impresa veramente leggendaria che mise spalle a muro l'esercito italiano. Era, l'abbiamo detto, un tecnico della guerriglia. Venne catturato nei pressi di Tagliacozzo ai primi del dicembre dello stesso anno, più per un personale scoramento che per effettiva sconfitta. La sua fucilazione fu eseguita poche ore dopo per ordine del maggiore dei bersaglieri Franchini, uno che aveva il plotone di esecuzione facile, e sollevò supposizioni, interrogativi e voci indignate magari nel nostro parlamento.

Uno dei miei due amici ebbe tra le mani, con una certa emozione, il taccuino che Borjes portava sempre con sé: veramente le macchie che facevano illeggibile qualche parola trasudavano travaglio e sangue, ma quello che più colpiva, a parte le notazioni sulle battaglie e sugli scontri, era l'attento commento ai modi di coltura agricola dei territori che via via conquistava.

Il suo braccio destro, il brigante Crocco, diarii non ne tenne ma in compenso ebbe modo, in galera e in attesa di processo, di scrivere le sue memorie. Crocco a un certo punto racconta che un momento delicato della guerriglia fu durante la marcia di avvicinamento a Stigliano (che poi venne conquistata). In quella precisa situazione le truppe italiane avrebbero potuto stroncare le forze di Borjes, invece si limitarono a tallonarle a debita distanza. Non si trattò di un errore tattico, spiega Crocco, ma di un preciso accordo, una componenda, fatta tra lui e il generale Della Chiesa, o Dalla Chiesa, come appare in altri documenti, comandante dei reparti italiani (ahi, questo ritornare agli stessi nomi nella storia d'Italia: non so se il generale Carlo Alberto Dalla Chiesa fosse un suo nipote, quello che invece è certo che componende non ne fece, se finì massacrato dalla mafia con la moglie). L'oggetto della componenda Carmine Crocco non lo rivela ma si può e si deve facilmente pensare che si trattasse di tradire lo spagnolo. Può darsi benissimo che il brigante menta, però è documentato che Della Chiesa venne privato del comando e deferito al consiglio di disciplina. Ma prima di essere destituito definitivamente, Della Chiesa si dedicò anima e corpo a una vera e propria strage di contadini. Nel dicembre 1861, lo stesso giorno in cui Borjes e i suoi morivano fucilati (sarebbe meglio dire ammazzati), il generale La Marmora scriveva a Petitti, ministro della guerra, che Della Chiesa «nulla fece e ora fucila tutti quei che trova, senza pur anco sapere ricavare quei ragguagli che ci sarebbero preziosi». È evidente che Della Chiesa fucilava a ragion veduta: proprio perché quei ragguagli non venissero fuori, perché della componenda fatta con Crocco non restasse traccia alcuna.

Chi di componenda visse, e molto riccamente, e per componenda morì di corda e sapone nel 1725, fu un inglese, Jonathan Wild, che diventerà il notissimo personaggio dell'*Opera da tre soldi* di Bertolt Brecht (ma aveva già ispirato Fielding e Gay). Daniel Defoe, che di Wild si fece attento biografo, riuscendo malamente a nascondere sotto aggettivi quali odioso, malvagio, spregevole, infame, l'intima ammirazione che in realtà nutriva, ne ha raccontato l'ingegnoso metodo truffaldino.

Tutto nacque da una legge emanata da re Guglielmo con la quale la ricettazione cosciente (ove si avesse cioè conoscenza della provenienza illegale della merce) era condannata con la pena di morte e due o tre esecuzioni bastarono ai ricettatori per farli persuasi che era meglio cangiare mestiere. I ladri, a questo punto, si vennero a trovare in una situazione difficile, rubavano praticamente a vacante, nessuno voleva accettare la loro mercanzia, manco a prezzi scontati. E qui esplose il genio organizzativo di Jonathan Wild, vero figlio, come è stato notato, degli anni che videro sorgere i Lloyds di Londra e la Compagnia dei Mari del Sud. Servendosi di una fitta schiera di informatori (Wild proveniva dal controllo della prostituzione) faceva stoccare la refurtiva in magazzini anonimi, poi inviava un suo emissario presso il derubato al quale veniva raccontato che un onesto commerciante era venuto casualmente in possesso di cose che temeva fossero di provenienza illecita. Il signore aveva recentemente patito qualche furto? Se sì, voleva essere tanto cortese da descrivere la merce rubata? Si lasciava per qualche giorno cuocere il malcapitato nel suo brodo, poi l'emissario tornava alla carica. La merce descritta corrispondeva a quella in possesso dell'onesto commerciante. Costui era pronto a restituirla ma, giustamente, desiderava essere rimborsato delle spese sostenute nell'incauto acquisto. Le cose si potevano aggiustare, proponeva allora l'emissario di Wild, sborsando una cifra oscillante tra il settanta e l'ottanta per cento del valore. Al malcapitato non restava altra strada che pagare, la merce gli veniva restituita interamente e Wild si prendeva due percentuali: una dal derubato e una dal ladro.

Wild acquistò fama di uomo rigoroso e legale, «acquisì» – scrive Defoe sempre più ammirato – «una strana e incredibile reputazione d'uomo onestissimo». A perderlo fu l'ambizioso progetto d'espansione della sua società, con l'istituzione di una consociata che aveva il compito di produrre merce: vale a dire la razionale organizzazione di furti in proprio. Ma le vere ragioni per le quali Wild andò a finire in carcere per essere poi impiccato, lo scrittore non sa spiegarle con chiarezza, accenna solo a una faccenda di merletti presi e non restituiti. E qui mi torna di fare un altro ahi: furono dei merletti inviati e non restituiti che servirono a incastrare il presentatore Enzo Tortora, vittima innocente di un procedimento osceno. Sull'arresto di Wild ho precisa opinione, quella che mi ha permesso di scrivere che il malfattore scivolò per una componenda ai suoi danni. Nasce, la mia convinzione, da una pagina stessa di Defoe, dove è detto che Wild, per acquistare sempre più fama di uomo limpido che nulla aveva a che fare con la malavita, denunziava, di tanto in tanto e con i dovuti accorgimenti, qualche ladro di scarso peso alla polizia che provvedeva all'arresto immediato. Qualche ladruncolo finì giustiziato. Non so se tra Wild e la polizia fosse intercorsa una vera e propria componenda, ma tale dovette apparire agli occhi dei complici di Jonathan, una volta scoperto il singolare sistema che aveva adottato per rifarsi continuamente una verginità. Non mi sembra assurdo ipotizzare che questo abbia fatto scattare la pensata di una componenda ulteriore tra i malviventi e la polizia per eliminare definitivamente Jonathan Wild.

Terzo

Di una minima componenda ebbi, assai giovane, a patirne una piccola parte. Si era nel 1947 e io dovevo andare da Porto Empedocle a Palermo per sostenervi alcuni esami all'università: si trattava di una distanza di circa centocinquanta chilometri, ma pigliando il treno ci si metteva allora quasi una giornata e non meno disagevole era il viaggio in macchina, ore e ore per strade malandate che s'arrampicavano su montagne dai nomi che incitavano alla serenità come «l'omu mortu», «l'ammazzatu», «u passu do latru». Mio padre stabilì che dovevo andarci con uno dei suoi camion, noleggiato per il trasporto del pesce fresco, e che quel percorso faceva due o tre volte la settimana. Partimmo verso le dieci di sera, faceva un freddo da tagliare la faccia ed io in più ero squieto perché allora viaggiare di notte non era cosa, si poteva stare sicuri di fare brutti incontri. Affettuosamente don Vicinzino Chiappàra, autista fidato, mi sistemò sulle ginocchia una vecchia coperta militare. Mi confortai e caddi in un sonno piombigno. Mi risvegliai passata Lercara Friddi: marciavamo lenti sotto una pioggia violenta, capii che don Vicinzino era molto teso, stava a guidare sporgendosi col corpo avanti, come a taliàre meglio la strada.

«C'è cosa?».

«Niente» mi rispose «ma devo dirti una cosa che tuo padre sa. Capace che da qua a poco, a una curva, ci fermano due o tre persone, infaccialate e armate. Non ti scantare».

«E chi sono?» spiai sentendomi gelare ancora di più.

«Sono della banda Giuliano. Tu non ti cataminare, non aprire bocca. Fai solo quello che ti dico io».

Peggio non mi poteva capitare. Giuliano e i suoi avevano fama mondiale di gente feroce (lui si faceva intervistare da giornalisti che venivano tanto dalla Svezia quanto dagli Stati), avevano perfino sparato sulla folla inerme che festeggiava il primo maggio. Puntualmente, a una svolta, due incappucciati, con impermeabili che gli arrivavano ai piedi, armati di mitra, fecero gesto di fermarci. Don Vicinzino accostò, si mise in testa una tela cerata, scese, si avvicinò alla coppia, pigliarono a parlare taliando di tanto in tanto verso la mia parte. Era chiaro che discutevano di me e che don Vicinzino stava spiegando chi ero io.

Michele Palmieri di Miccichè, nei *Pensieri e ricordi* scritti in francese e stampati a Parigi nel 1830, afferma che in un suo non desiderato incontro con banditi campàni, si accorse che questi oltre ad essere laidi, fetidi e cretini erano tutti strabici. E lo stesso difetto aveva magari la megera che li ospitava. Ora essendo da escludere che tutti gli strabici della Campania si fossero dati al brigantaggio, Palmieri in seguito attribuisce allo spavento subito quella visione giottesca delle facce (forse strabico era diventato lui). Palmieri aggiunge che provò anche lo stesso fenomeno di paralisi totale che si dice colga l'usignolo alla vista di un rospo. Quelli non erano strabici né rospi, io usignolo francamente non mi potevo definire eppure il fenomeno si ripeté. Dopo qualche minuto i tre si avvicinarono, don Vicinzino aprì lo sportello dal mio lato, disse:

«Mettiti la coperta in testa e dacci una mano d'aiuto».

Solo con un tremendo sforzo di volontà riuscii a fare quello che voleva. L'autista abbassò la sponda posteriore, si rivolse ai due:

«Che volete oggi?».

«Due di triglie, due di linguate, due di merluzzi e due di polipetti».

Chiappàra acchianò sul camion, scaricò le cassette richieste, ce ne caricammo due a testa e principiammo a salire per un costone fangoso. Scivolai due, tre, quattro volte ma riuscii a non mollare le cassette, m'ero fatto convinto che se mi cadeva per terra magari un solo merluzzo, il bandito che mi veniva appresso m'astutava con una raffica. Arrivammo a una grotta. Dentro, alla luce di un lume a petrolio, c'erano un vecchio con la barba bianca lunga e due giovani che giocavano a carte. Tutti avevano i mitra a tracolla.

«Ah, chi sciàuru bellu di pisci friscu! » fece il vecchio e ci offrì un bicchiere di vino. Bevemmo, ringraziammo, e tornammo al camion. Nella discesa, scivolai e non ebbi manco la forza di oppormi alla caduta, anzi ci provai un certo piacere. Mi veniva di dare di stomaco, ero assammarato di pioggia, lordo di fango, fetevo di pesce, scaglie e acqua m'erano entrate dal colletto della camicia.

«Fanno sempre così» disse don Vicinzino mentre ripartivamo. «Io gli do il pesce e loro m'assicurano che per tutti i viaggi che faccio ho strada sicura, nessuno s'azzarda a farmi torto. Tuo padre t'ha mandato con me perché così poteva mettersi a dormire sicuro».

«Cristo!» sbottai. «E lo spavento che mi sarei pigliato non l'ha messo in conto?».

«Certo che ce l'ha messo. Tu sai com'è fatto tuo padre. Quando gli dissi che ti potevi scantare, e malamente, lui mi rispose che lo spavento t'avrebbe aiutato a crescere».

E a proposito del bandito Giuliano: la sua eliminazione, non scopro nessun altarino, fu il risultato di una gigantesca componenda che vide coinvolti la mafia, il bandito Pisciotta braccio destro di Giuliano, il Ministero degli Interni (ne era titolare Mario Scelba) e il generale Luca, capo del *Cifiribì,* come lo chiamavano i siciliani (e cioè CFRB, Comando forze repressione banditismo). Luca, non fidandosi della magistratura, faceva in modo che i banditi non venissero arrestati per essere rilasciati qualche giorno dopo ma che fossero ammazzati in scontri a fuoco, tant'è che un giornale pubblicò una vignetta che raffigurava la Sicilia costellata di croci tombali, con sopra una citazione dantesca:

«ove non è che luca». Il suo capolavoro strategico fu di rendere Giuliano pericoloso peso morto per la mafia e di farlo scugnare dal territorio dove poteva avere complicità e aiuti. Gli venne così fatto ammuccare che a Castelvetrano un aereo sarebbe venuto a prelevarlo per portarlo in America. Invece Pisciotta l'ammazzò nel sonno e subito dopo, con l'inesperta regìa del capitano dei carabinieri Perenze si mise malamente in scena una morte per conflitto. Pisciotta fu fatto scappare, con l'intesa che da lì a poco sarebbe stato arrestato ufficialmente, processato e condannato a una pena lievissima. La cosa non andò liscia perché ci si mise di mezzo la polizia con la sua solita rivalità verso la benemerita: Pisciotta venne arrestato non dai carabinieri ma dalle forze di pubblica sicurezza e le cose si guastarono. Mi ha raccontato una persona degna di fede che quando Scelba arrivò al Ministero dopo che era stato tirato giù dal letto per comunicargli l'avvenuta morte di Giuliano, c'erano ad aspettarlo generali, sottosegretari, alti funzionari sorridenti e felici per contargli la storia che Giuliano era stato ammazzato dagli uomini di Perenze dopo una sparatoria degna di un film western. Scelba s'appresentò più torvo e, se possibile, ancora più vestito di nero del solito. Fece gesto a tutti di arrassarsi di qualche passo, aprì un cassetto, sollevò la cornetta di un telefono che c'era dentro, compose un numero e pronunciò questa frase:

«Ciccino, come fu?».

Il misterioso Ciccino, all'altro capo del filo, narrò e dettagliò lungamente mentre il ministro ascoltava in silenzio. Poi mise giù la cornetta, appoggiò gli avambracci al tavolo e disse rivolto agli astanti:

«E adesso mi raccontino la loro versione».

E i presenti, levandosi le parole di bocca, pigliarono a mimare finti pedinamenti e agguati tanto pericolosi quanto improbabili per arrivare al culmine del mortale scontro a fuoco. Scelba li stava a sentire, sorridendo e testiando, godendo di quel mare di menzogne ufficiali, di farfanterìe, ma ancor più gioendo, io credo, dell'umiliazione di quei dignitari costretti a narrare una particolareggiata costruzione fantastica proprio a chi, pochi secondi prima, aveva invece appreso la particolareggiata, e totalmente diversa, verità.

A rimetterci fu Pisciotta. Essendo convinto che la Legge, l'Ordine, lo Stato (tutte cose che si scrivono con la maiuscola) avrebbero tenuto fede al patto, si fece arrestare, depose come convenuto al processo di Viterbo, disse e non disse. Ma non arrivò mai al secondo processo. Un giorno ebbe voglia di un caffè, glielo portarono e lo bevve. Non sapeva che il caffè era corretto.

Quarto

Mi accorgo di star divagando. È un mio difetto questo di considerare la scrittura allo stesso modo del parlare. Da solo, e col foglio bianco davanti, non ce la faccio, ho bisogno d'immaginarmi attorno quei quattro o cinque amici che mi restano stare a sentirmi, e seguirmi, mentre lascio il filo del discorso principale, ne agguanto un altro capo, lo tengo tanticchia, me lo perdo, torno all'argomento. Parlando, la cosa ha un senso perché segue l'umore del momento, reagisce a un'osservazione o vuole provocarla, insomma tiene conto di orecchio e bocca di chi gioca a fare il pubblico. Ma scrivendo devo tenere conto magari del mio sguardo, ed è qui che mi perdo: se provo a rileggermi, vedo che la linea del pensiero procede a coda di porco, gira in tondo, rischia continuamente d'intorciuniarsi su se stessa. E così, a forza di portare esempi, sto correndo il pericolo di sostenere che tutto il mondo è una componenda. Ma d'altra parte, e stando a quanto quotidianamente ci contano gazzette, telegiornali e giornali radio, siamo certi che non lo sia?

Qualche anno dopo il racconto di Vecchietti, mi capitò di leggere il *Dizionario storico della mafia* di Gino

Pallotta (Roma, 1977) e mi imbattei in una «voce» che faceva al caso mio.

COMPONENDA. Forma di compromesso, transazione, accordo *fra amici*. Veniva stipulata tra il capitano della polizia a cavallo e i malviventi o i loro complici in una data età storica della Sicilia. Grazie alla componenda, il danneggiato poteva rientrare in possesso di una parte di ciò che gli era stato sottratto; in cambio ritirava ogni denuncia. Tutto veniva dimenticato, magari con scambio di cortesie formali, di dichiarazioni di rispetto. In tal modo l'ufficiale di polizia *sistemava* le cose, creando una prassi, una forma di *giustizia* al di fuori delle leggi ufficiali. Si formava, anche per questa via, una *legge*, una *legalità* diversa, e anche questi elementi, seppure marginali, tornano nel discorso generale di ciò che può essere la mentalità mafiosa. E d'altronde chi può sostenere che sia del tutto scomparsa? Piuttosto è da pensare che al posto dell'ufficiale di polizia possa intervenire la mafia, in un ruolo di mediazione, di *giustizia mafiosa*. In tal caso *il padrino,* oppure il *boss,* decide: si restituisca in parte o si restituisca tutto.

Ora a Pallotta non passa manco per l'anticamera del cervello che il rappresentante della legge potesse essere animato da ben altro interesse di quello della creazione di «una forma di giustizia al di fuori delle leggi ufficiali». Altro che «cortesie formali» o «dichiarazioni di rispetto»: nel comporre, il rappresentante della legge trovava preciso tornaconto, che si tramutava nella quota, nella percentuale dovutagli per l'intermediazione. E a parte ciò, mi lasciano perplesso alcune approssimazioni tipo «il capo della polizia a cavallo», che pare di trovarsi in Canada con le Giubbe Rosse, o tipo «in una data età storica della Sicilia», che potrebbe magari riferirsi all'alto medioevo. Comunque la «voce», pur considerando praticamente un unico sistema di componenda, quello esercitato da Wild, era abbastanza riassuntiva per proporsi come una sorta di epitaffio alla mia distratta ricerca.

Però mi parve, quella «voce», quasi banale al ricordo del racconto fattomi da Vecchietti, di una componenda cioè così elegante, così ammiccante da essere un piccolo capolavoro, un esempio da manuale.

Quinto

Forse più straziante della morte stessa di una persona che amammo è il dover mettere mano, per necessità, alle cose più intime e segrete che quella persona volle conservare via via che trascorreva la vita, lettere, fotografie, biglietti, fiori secchi, poveri oggetti ai quali il suo ricordo si ancorava. Mi capitò per mia madre, e l'esitazione, il dubbio, il tremore coi quali mi accingevo ad estrarre, che so, una lettera ingiallita dalla busta che la conteneva erano per davvero un atto di sofferta pietà: ma pietà verso me stesso, dico. Dentro la cassetta che mi pareva non contenesse altro che ceneri trovai un foglio di carta a stampa, un rettangolo di quarantacinque centimetri per trenta: la riconobbi subito, era una «bullailochisanti», incomprensibile a trascriverla così come erano solite pronunciarla mia madre e mia nonna. Tradotta in italiano, significava semplicemente «Bolla dei luoghi santi».

Il foglio era riccamente illustrato. In alto, al centro, c'era scritto «Commissaria Generale di Terra Santa in Sicilia» e sotto un cartiglio recitava: «Figliolanza della iscrizione alla confraternita dei luoghi santi in Ge-

rusalemme». A sinistra e a destra otto tondi raffigu-
ravano rozze vedute del Santo Cenacolo, del fiume Gior-
dano, di Betlem, di Gerusalemme, del monte Tabor,
del Getsemani, di Nazaret e della Tiberiade. Al centro, sotto lo stemma della «Santa Mansion in Gerusa-
lem», c'era una scena della Crocifissione con le pie donne e sotto un altro tondo rappresentava il Santo Se-
polcro. Tutte queste illustrazioni e scritte occupavano
i due terzi del foglio, il restante era scritto su due lar-
ghe colonne con al centro il bollo della «Commissaria
di Terra Santa» e la data di emissione della bolla.

Nello scritto si racconta come qualmente i frati minori francescani da oltre settecento anni si fossero dedicati non solo alla conservazione dei luoghi santi ma
anche come avessero fondato scuole, collegi, chiese, ti-
pografie. Si passa quindi all'elenco, piuttosto folto,
dei papi che variamente aiutarono la «Commissaria Generale» e due in particolar modo spiccano. Uno è Leone XIII che, con una Enciclica addirittura, ordinò che
ad ogni venerdì santo fossero raccolte le elemosine a
favore dei luoghi santi «vietando che le stesse venissero convertite in qualunque altro uso e comminando
pene contro coloro che ne impedissero la raccolta». L'altro papa benemerito era stato Benedetto XIV che con
un «breve» del 17 giugno 1750 aveva concesso l'indulgenza plenaria in articulo mortis a coloro che «si
provvedono della santa figliolanza», in parole povere,
a tutti quelli che compravano una o più di quelle bolle che ogni venerdì santo i frati minori vendevano in
chiesa o andando di porta in porta.

Ora, ignorante com'ero (e sono) delle cose di Dio, mi pareva di ricordare almeno due non trascurabili particolari: uno era che, a dirla brutalmente, l'indulgenza plenaria, e cioè la remissione totale dei peccati, non era di facile concessione e quindi mi pareva che accattarla da un frate minore per centesimi cinquanta o lire dieci che fossero era prezzo da liquidazione, da svendita. Un altro era che (e mi veniva da una reminiscenza scolastica) l'indulgenza non potesse essere né venduta né comprata. Feci ricorso allora, per chiarimenti, alla monumentale *Enciclopedia cattolica* (monumentale come doveva essere, anche se di poco meno voluminosa della *Enciclopedia del toro* che vidi in casa di un mio amico spagnolo amante delle corride). Appresi così che l'indulgenza plenaria va continuamente rinnovata con mezzi diversi, perché ha una durata limitata nel tempo. Conviene morire prima della scadenza di ogni singola bolla di concessione. Ecco perché i frati minori raccoglievano in chiesa o di porta in porta le offerte ogni venerdì santo: la validità di quella bolla era di mesi dodici. Ma che la vendita dell'indulgenza fosse vietata me lo confermò l'*Enciclopedia*.

La concessione dell'indulgenza in connessione con una elemosina diede purtroppo origine a deplorevolissimi abusi. Avuta una volta una indulgenza legata ad un contributo per una certa opera, si mandarono i *quaestores* per raccogliere l'elemosina. Purtroppo la predicazione di molti questori eccedette di molto (per incuria o per astuzia) la verità dogmatica; alcuni osarono promettere persino la liberazione delle anime dannate dall'inferno. Ma c'era un altro aspetto delle indulgenze legate ad entrate di elemosine. Si cominciò a permettere ai re e prìncipi cattolici, prima in occasione delle Crociate, di poter servirsi di una più o meno notevole parte delle entrate, guadagnate con l'elemosina dovuta per fruire delle indulgenze. Simili permessi furono poi largamente concessi per molte altre imprese, e i prìncipi non furono sempre troppo scrupolosi. Nota l'indulgenza per la costruzione del nuovo San Pietro a Roma. Il principe di Sassonia-Wittenberg, poi grande fautore di Lutero, raccoglieva reliquie quanto più poteva, per servirsi delle ricche elemosine, versate nella visita alle medesime per avere le indulgenze. Nessuno nega l'esistenza di abusi e per di più gravi. Ma d'altra parte l'autorità ecclesiastica tentò, forse non sempre con la dovuta energia, di raffrenare il male. Purtroppo, soltanto dopo l'accanita lotta protestante contro le indulgenze, il Concilio di Trento soppresse per sempre la questua delle indulgenze.

Già il IV Concilio Lateranense (1521) represse alcuni abusi circa le indulgenze, e specificò la misura delle concessioni, stabilendo per la consacrazione delle chiese e l'anniversario non più di un anno, per altre occorrenze non più di 40 giorni. Ma ben presto questi termini furono superati. E ancora nel medioevo comparirono, in modo straordinario, documenti falsificati con indulgenze superiori ad ogni misura, non solo di centinaia ma di migliaia di anni.

Il Concilio di Trento, dopo quelli di Lione e di Vienna, tornò ad occuparsi delle indulgenze, soprattutto in vista della spietata guerra spiegata dai riformatori contro di esse. Nella sessione 21, capitolo 9, soppresse l'istituzione dei *questori,* cioè dei raccoglitori di denaro per le indulgenze che fece tanto male a causa degli abusi che vi si inserirono, e riservò la pubblicazione di indulgenze ai soli Ordinari; essi possono anche, se occorre, raccogliere, senza compenso alcuno, eventuali elemosine. Finalmente, nella sessione 25, si emanò il celebre decreto *de indulgentiis*, nel quale dopo aver definito che la Chiesa ha diritto di concedere indulgenze da Cristo Signore, si approva di nuovo l'uso delle indulgenze come *christiano populo maxime salutarem*, abolendo nuovamente ogni specie di questua in vista di indulgenze, e ordina che i vescovi vigilino seriamente nelle proprie diocesi sopra ogni possibile abuso, denunziandolo nei sinodi provinciali e al Sommo Pontefice.

Vorrei solo dire qualche cosa intorno a quell'accenno di passata che la «voce» fa circa il collezionista di reliquie, il principe di Sassonia. Scopo di quella vendita davvero straordinaria di indulgenze era in realtà il pagamento dei debiti contratti da Alberto di Höhenzollern con la banca Fugger per l'acquisto (illegale, sia chiaro) di tre importanti vescovadi, tra cui quello primaziale di Magonza. Solo il cinquanta per cento delle entrate sarebbe andato alla Santa Sede per la costruzione del nuovo San Pietro. Del resto, Alberto si muoveva sulla linea voluta da Leone x che aveva concesso alla propria sorella l'appalto per la vendita all'ingrosso delle indulgenze. Martin Lutero ignorava certamente questo tacito accordo quando si decise ad affiggere sulla porta della chiesa di Wittenberg le sue 95 tesi sulle indulgenze, tesi che avrebbero spaccato in due il mondo dei credenti.

Per il resto, chiarissima la «voce». Ma allora come mai i frati continuavano a vendere, diciamo legalmente, la bolla? C'era, e me ne accorsi dopo, un sottile marchingegno. Vale a dire: i frati non vendevano direttamente l'indulgenza né istituivano un parallelo tra essa e l'offerta ma si limitavano a vendere la tessera di socio di una «figliolanza» che, a sua volta, godeva dell'indulgenza. Ogni rapporto diretto era così eliminato, non c'era causa, non c'era effetto. Qualcosa di simile a quello che avviene oggi nei cinema d'essai o nei teatrini off nei quali si ovvia al divieto di rappresentazioni pubbliche e a pagamento per mancanza di agibilità (non regolare il numero dei posti, mancanti le uscite di sicurezza, inadeguate le installazioni antincendio, eccetera) con l'automatica trasformazione del biglietto d'ingresso in tessera di socio. Di conseguenza il locale diventa un club privato, esentato dal rispetto di certe regole.

Ma la vera ragione della fortunata vendita della bolla nulla aveva a che fare con la religione, magari se da essa pigliava spunto. «I fedeli adunque» affermavano le ultime righe della bolla «che annualmente acquistano la Santa Figliolanza partecipano a tutti i benefici spirituali sopraccennati (messe gratuite e indulgenze) si fanno degni di ottenere da Dio il perdono dei loro peccati in questa vita e il premio dell'eterna gloria nell'altra; e, portandola addosso, possono meritare, per il Sangue preziosissimo di Gesù Cristo, Nostro Salvatore, d'esser liberati dai flagelli della Divina Giustizia».

E proprio in quest'ultima frase stava il busillisi. I flagelli coi quali la divina giustizia usava manifestarsi erano, per tradizione orale e scritta, carestia, terremoti, cavallette, siccità, peste (da sostituirsi con l'Aids) e altre calamità naturali. Ma come si faceva a distinguere uno spaventoso temporale dall'inizio del diluvio universale? Tirato il paro e il dìsparo, ad aggirare il problema soccorreva – come suggerivano gli stessi frati minori – la bolla dei luoghi santi: un quarto del foglio, ridotto a pezzetti minuscoli e lasciato portar via dal vento (del tutto opzionale l'accompagno di preghiere) faceva di colpo abbacare gli elementi scatenati e pronto sorgere l'arcobaleno. Del resto, senza voler pensare a castighi divini che sono sempre esagerati, una normale alluvione poteva distruggere le coltivazioni, una forte tempesta far perdere barche e annegare pescatori: dato che il mio era un paese di terra e di mare, la bolla incontrava largo mercato.

Col suo *Retablo,* Vincenzo Consolo non solo porta acqua al mio mulino, ma, poiché siamo in tema, ne porta tanta da fare diluvio. Dice infatti un suo personaggio: «Ero fraticello sereno al Convento della Gancia, fraticello di questua, e giravo per contrade e campagne per limosinare e vendere le bolle dei Luoghi santi, stampe che davan privilegi, indulgenze, ed erano al contempo preservativi di mali passi, assalti di ladroni, naufragi, infortuni d'ogni risma nel corso dei viaggi». Dunque la «bullailochisanti» in altri territori della mia terra aveva poteri diversi e più ampii. Nello stesso suo libro (e qui viene il diluvio), Consolo cita la componenda senza spiegarla, ma si capisce che le dà lo stesso significato assegnatole da Pallotta nel suo *Dizionario stori-co della mafia*. Le due cose però, bolla e componenda, non le mette in rapporto: se l'avesse fatto, mi sarei risparmiata la fatica di queste pagine.

Non mi scampò da niente la bolla dei luoghi santi, ma un miracolo lo stesso me lo fece e non da poco. Quello di farmi tornare di colpo la memoria. Ricordai che, prima ancora del racconto di Vecchietti, io della componenda ne avevo letto da qualche parte, solo che l'avevano definita «bolla di componenda». Ora il fatto che si parlasse di «bolla», stava ad indicare che si trattava di qualcosa di scritto (mentre la componenda pura e semplice per sua stessa natura non poteva essere messa nero su bianco). E scritto da qualcuno che una «bolla» potesse emanare: di sicuro un chiesastro, un papa, un cardinale, un vescovo. A questo punto avevo davanti a me tutti i pezzi e questi si misero a posto quasi autonomamente. Della «bolla di componenda» ne avevo letto qualcosa in una o due delle millequattrocentodieci pagine dell'*Inchiesta sulle condizioni sociali ed economiche della Sicilia,* avvenuta nel 1875.

Sesto

Il 3 dicembre 1874 il Consiglio dei Ministri, presieduto da Marco Minghetti, delibera la presentazione alle Camere di uno schema di legge per varare provvedimenti eccezionali di pubblica sicurezza atti a combattere il «malandrinaggio» in Toscana, Romagna e «altre provincie». Curiosamente, della Sicilia, che è il vero oggetto della questione, non se ne fa il nome. La proposta, presentata due giorni dopo da Cantelli, Ministro dell'Interno, provoca vivaci reazioni magari al Senato e, altrettanto curiosamente, l'unica regione della quale si viene a discutere è la Sicilia, il «malandrinaggio» da altre parti pare sia improvvisamente scomparso al solo sentir parlare di provvedimenti governativi speciali. Su un solo punto maggioranza e opposizione si trovano d'accordo: la creazione di una commissione parlamentare d'inchiesta da inviare urgentemente nell'isola. Le sue risultanze serviranno da concreto motivo di discussione circa l'applicazione, o meno, delle leggi eccezionali. In data 3 luglio 1875 si dà avvio ad una giunta d'inchiesta («Commissione parlamentare d'inchiesta sulle condizioni sociali ed economiche della Sicilia»), composta da nove membri: tre senatori, tre deputati, tre di nomina regia. Un anno la durata prevista dei lavori, centomila lire il costo preventivato. È da notare che l'articolo 3 della legge istitutiva così recitava:

«Sono applicabili ai testimoni chiamati dalla Giunta le disposizioni di cui agli articoli 306, 364, 365 n. 3, 368, 369 n. 4 del codice penale».

In altri termini, di fronte alla reticenza, la falsa testimonianza, la mancata denunzia, i commissari avevano potere incriminatorio. Non se ne avvalsero mai, nemmeno quando il vice-sindaco di Messina confessò di essersi a lungo intrattenuto con un noto e feroce bandito ricercato e di avergli offerto un sigaro invece di avvertire chi di ragione e farlo arrestare.

La prima riunione della Giunta avviene il 29 agosto. Sono presenti tutti i membri e cioè: Giuseppe Borsani, senatore, presidente; Francesco Paternostro, deputato, vicepresidente; Carlo De Cesare, consigliere della Corte dei Conti, segretario; Nicolò Cusa, senatore; Carlo Verga, senatore; Romualdo Bonfadini, deputato; Luigi Gravina, deputato; Cesare Alasia, consigliere di Stato; Pirro De Luca, consigliere della Corte di Cassazione. Alla Commissione venne assegnato un personale di dieci elementi, diretto da Vincenzo Cosenza, sostituto procuratore del re, e del quale facevano parte quattro stenografi.

Nel periodo compreso tra questa riunione e la prima udienza che si tiene a Palermo il 6 novembre, la Commissione, oltre a una rapida visita nell'isola per incontrarvi prefetti e responsabili dell'ordine pubblico, si dedica all'individuazione della linea da seguire nello svolgimento dell'inchiesta: quali paesi visitare al di fuori dei capoluoghi, quali le domande da porre, quali le persone alle quali quelle domande andavano poste. Si raggiunge l'accordo di condensare in sette punti gli argomenti da trattare: 1) Condizioni economiche del paese; 2) Viabilità; 3) Circoscrizione territoriale; 4) Sicurezza pubblica; 5) Amministrazione comunale e provinciale; 6) Amministrazione della giustizia; 7) Servizi diversi.

Fra le domande relative al punto 4 (pubblica sicurezza) c'è quella segnata al numero 44 che è un vero e proprio capolavoro di equilibrio tra candore e stupidità: «Esiste in Sicilia una forma di associazione distinta col nome di maffia?». E giustamente, perfettamente in linea con la domanda, si sentiranno rispondere da un cittadino responsabile, abitante in un paese dove la mafia imperversa: «No, mai sentii parlare di questa forma di malandrinaggio». E nessuno dei commissari se la sente di applicare, per una simile risposta, l'articolo 3 di cui abbiamo or ora scritto.

Assai più sottile è la domanda numero 92: «Si è mai creduto che la maffia e la camorra abbiano penetrato nei pubblici uffizi?». L'unanime risposta è no, mai lo si è creduto. E mai lo si continua a credere, neanche quando si scopre che in un paese il settanta per cento dei funzionari pubblici è stato in galera o sta per andarci per fatti mafiosi o paramafiosi.

Sottilissima, tanto da esser quasi trasparente, è la domanda che segue: «Vi è mai stata una maffia governativa organizzata allo scopo di combattere la maffia con la maffia?». A tale quesito non c'è risposta, forse un sorriso che sarà sfuggito agli onorevoli membri della Commissione. E qui voglio notare che la maffia ha ancora due effe, una ne perderà in quegli stessi anni per acquistare maggior scioltezza.

Ma a quali persone queste domande andavano rivolte, al di fuori dei responsabili diretti dell'amministrazione pubblica? Al clero, per ovvie ragioni politiche, sicuramente no (a meno che non si fossero presentati di loro iniziativa) mentre i cittadini comuni andavano accuratamente selezionati.

Scrive a questo proposito Leopoldo Sandri, prefatore dell'edizione degli atti dell'inchiesta a cura di Salvatore Carbone e Renato Grispo (Bologna, 1968): «La richiesta di scelta tra i cittadini rispettabili, categoria sempre difficilmente definibile, finì di fatto con il far concentrare la scelta tra persone appartenenti all'aristocrazia, e tra coloro che nel quadro delle attività e professioni appartenevano ai ceti degli abbienti e benpensanti, nella grande maggioranza s'intende, ché anche, ma in misura minore, figurano negli elenchi piccoli commercianti e artigiani, qualche contadino».

Leonardo Sciascia, in un suo scritto, cita un verso di Matteo Maria Bojardo che qui splendidamente si attaglia: «principio sì giolivo ben conduce». Mi si consenta farlo mio. E c'è di più. Pochi giorni prima che la Commissione iniziasse i suoi lavori a Palermo, il primo presidente della Corte d'Appello e il procuratore del re di quella città vennero trasferiti. Il primo era accusato di connivenza con la mafia, il secondo era stato pesantemente coinvolto in un conflitto tra autorità giudiziaria e alcuni politici. Forse il Ministro di Grazia e Giustizia aveva voluto, con quei due provvedimenti, evitare un impatto un po' troppo rude ai membri della Giunta con il reale stato delle cose. La Commissione chiese al Ministro guardasigilli di non effettuare più trasferimenti almeno per un anno. Al Ministro quella richiesta da un orecchio ci trasì e dall'altro ci niscì: in nome della necessità di far pulizia e del riportare all'ordine, si fecero materialmente sparire persone che molte cose forse avrebbero potuto far capire ai commissari.

La Commissione terminò i suoi lavori entro il tempo prescritto e diede alle stampe una relazione circostanziata. Aveva ascoltato 1.128 testimoni in 104 udienze. Aveva visitato 40 città e comuni e di 39 ne aveva ricevuto le delegazioni. Ci fu una discussione animata per decidere se pubblicare magari i verbali stenografici degli interrogatori: prevalse l'opinione che no, non si rendessero pubblici per non compromettere troppo chi si era esposto con le sue dichiarazioni. In verità non si era esposto nessuno, nessuno aveva detto di più di quello che si poteva leggere nelle gazzette o negli atti processuali di qualche tribunale. Tizio, Filano e Martino (che dalle nostre parti equivalgono a Tizio, Caio e Sempronio) davanti alla Commissione si erano comportati come dovevano comportarsi.

Sempre nel 1875 Franchetti e Sonnino se ne andarono a fare un'inchiesta in Sicilia per i fatti loro: un'iniziativa extraparlamentare (non nel senso odierno, per carità) da opporre a quella parlamentare. La loro relazione finale fu più intelligente e acuta rispetto a quella della Commissione governativa. Andarono un poco più a fondo alle cose, ma radici non ne trovarono.

Come ho detto, gli atti della Commissione parlamentare vennero pubblicati quasi cent'anni dopo. Prima che venissero stampati era stata istituita nel 1962 una nuova Commissione parlamentare per indagare «sul fenomeno della mafia». Questa volta assieme alla relazione finale furono resi pubblici i verbali degli interrogatori (Roma, 1978).

Posso affermare, senza timore di essere smentito, che lo Stato poteva risparmiarsi la spesa (che certo non sarà stata di lire centomila) per la gestione della Commissione nuova. Bastava cangiare nomi e aggiornare la scrittura degli atti di cent'anni avanti. Perché le domande sono identiche, le risposte uguali, il risultato gemellare.

Settimo

Prima di andare a raccogliere in loco testimonianze dirette, la Commissione, lo si è già detto, svolse un intenso lavoro preparatorio. Fra gli altri, si rivolse al Comandante generale militare della Sicilia, Alessandro Avogadro di Casanova, che aveva il grado di Tenente Generale, perché illustrasse il servizio fino ad allora svolto dall'esercito per la repressione del « malandrinaggio». La lettera di risposta è abbastanza curiosa perché il Tenente Generale va, come si dice a scuola, fuori tema, non illustra le misure prese ma si preoccupa di portare a conoscenza della Commissione le reazioni dell'opinione pubblica siciliana alla notizia della formazione della Commissione stessa e dell'eventualità di leggi straordinarie. Scrive a un certo punto:

L'Eccellenza Vostra conosce pienamente le difficoltà che si oppongono pressoché insormontabili, con i mezzi ordinari, alla repressione del malandrinaggio, difficoltà che hanno profonde e salde radici nella immoralità e nella corruzione. Le suggestioni incessanti del clero, il pessimo esempio dato da taluni signorotti arricchitisi impunemente col malandrinaggio, gli istinti sanguinari ed inclinati al vizio e all'ozio, l'odio reciproco delle classi dei proprietari o dei proletari, sono tali cause di pervertimento e di sconfinate ed irrefrenabili passioni che la civiltà dei tempi, che nelle altre popolazioni trovò così agevole e rapido cammino, si arrestò dinanzi a questa barriera di corruzione, resa cotanto solida pei lunghi anni che ha dominio in questa popolazione.

Devo fare due osservazioni. Comincerò dalla seconda che si riferisce alla non nuova faccenda del mancato sviluppo della «civiltà» in Sicilia. Che i siciliani, e i meridionali in genere, siano, diciamo la parola giusta, selvaggi, sono in molti a sostenerlo in quegli anni: e sono coloro che abbracciano questa tesi le prime vittime dell'obbedienza a uno schema ottico perverso e inculcato per cui i conquistadores sono i soli e unici portatori di luce. E di conseguenza, se i siciliani sono selvaggi, la Sicilia non può essere trattata che come colonia. Ma all'interno di questo sistema di, si fa per dire, pensiero, c'erano due scuole. La prima, che aveva più largo seguito, faceva capo al generale Boglione il quale aveva dichiarato in Parlamento che, per sua naturale convinzione suffragata da esperienza nei lunghi mesi passati nei luoga di quella terra lontana, si era fatto preciso concetto che i siciliani non nascevano dallo stesso ceppo che aveva portato gli altri popoli alla civiltà, o qualcosa di simile. Il «qualcosa di simile», naturalmente, si riferisce alla non precisa mia citazione della frase del generale, e quindi non va inteso come «qualcosa di simile alla civiltà». Il generale era uomo compatto, di ponderate parole e di pacati, seppur ritardati, riflessi. Ci mise infatti ventiquattr'ore esatte a torturare un contadino siciliano che si ostinava a non spiccicare parola durante un interrogatorio prima di farsi persuaso che aveva davanti un disgraziato sordomuto.

Alla stessa scuola si pregiava di appartenere il prefetto di Caltanissetta, Guido Fortuzzi, una sorta di delinquente comune elevato all'alta carica (come è possibile rilevare dagli atti stessi della Commissione) e opportunamente, o inopportunamente a seconda dei punti di vista, trasferito non si sa dove poco prima che la Commissione arrivasse a Caltanissetta. Si vede che il Ministro dell'Interno era animato dallo stesso sacro fuoco di rapida epurazione che avvampava il suo collega di Grazia e Giustizia. Scrive Fortuzzi in data 4 gennaio 1875:

... io conosco per lunga pratica il pervertimento morale di questa popolazione, per la quale le idee del giusto, dell'onesto e dell'onore sono lettera morta, e che per conseguenza, è rapace, sanguinaria e superstiziosa.

Per Boglione e Fortuzzi quindi si tratta di un fatto genetico, la civiltà in Sicilia non può esserci per una questione di DNA.

Alla seconda scuola, minoritaria, appartiene il Tenente Generale Casanova. Essendo questi uomo di levatura diversa da Boglione e Fortuzzi, il suo pensiero è assai meno superficiale: nell'isola potrebbe svilupparsi la civiltà ove si creasse l'humus propizio, abolendo privilegi e influenze nefaste.

E vorrei invitare il mio lettore, a questo punto, a non farsi errato criterio circa le affermazioni che Tomasi di Lampedusa mette in bocca al principe di Salina sull'antichissima e ormai sfatta civiltà dei siciliani. Non è una difesa d'ufficio, quella di Salina. Il principe è assolutamente in buona fede dicendo quello che dice. Solo che il suo sguardo mira un paesaggio alpino, fatto di candidi picchi e di cime innevate, ai quali si può facilmente dare il nome di un marchese, di un conte, di un barone, di un principe stesso e dove salta lo stambecco, agile balza il camoscio, superbamente vola l'aquila reale. Perché di nobili siciliani illuminati e illuminanti ce n'erano stati, ce n'erano e ce ne saranno ancora. Ma il fatto è che il principe non guarda verso valle, verso le pianure dei latifondi, verso paesi di poco al di sopra del livello del mare. Se avesse calato gli occhi e scoperto un paesaggio fitto di topi, ragni, serpi e scorpioni, avrebbe, ne sono convinto, sottoscritto le opinioni non dico di Boglione o di Fortuzzi ma certamente quelle di Casanova e mai si sarebbe più azzardato a dire «noi siciliani».

La prima osservazione, che osservazione non vuole essere ma sottolineatura, si riferisce alla frase che parla delle «suggestioni incessanti del clero». Casanova non va oltre, getta un sassolino. È solo un avvertimento per dire che basta appena invogliarlo un poco e sull'argomento è pronto a dire molto.

Invece i membri della Commissione su quella strada non vogliono seguirlo, forse pensano che quel sassolino può mutarsi in un macigno. Gli richiedono una vera relazione sulla repressione del malandrinaggio. Casanova risponde allegando i tanto desiderati specchietti riassuntivi. Li ha fatti redigere al suo braccio destro, quel Pompeo Bariola, ora Maggior Generale, che si era distinto già nella repressione del brigantaggio tra il 1861 e il 1865 e che allora era uso inviare «specchietti approssimativi per mancanza di tempo», dato che passava gran parte delle sue giornate a formare plotoni di esecuzione.

E su Bariola devo aprire una parentesi. Quando verrà interrogato a Messina dalla Giunta, il Maggior Generale apparirà per quello che è, una macchietta. Deponendo, si alzerà dalla sedia, farà un inchino, una piroetta, allargherà le braccia, chiuderà gli occhi fingendosi morto, si risiederà, farà un balzo, cangerà voce. Esterrefatto, lo stenografo comincerà a segnare tra parentesi i movimenti del generale e così i seri atti della Giunta si trasformeranno nel copione di una farsa d'avanspettacolo.

Nella lettera che quegli specchietti accompagna, Casanova non può fare a meno di mettere un'altra pulce all'orecchio della Commissione:

Il tranquillo procedere delle bande, e la conseguenza immediata della diminuzione dei reati, è ritenuto dalla opinione pubblica di molti, come l'effetto di una parola d'ordine della maffia, la quale impone la quiete per un periodo di tempo che basti a scongiurare in queste provincie l'applicazione della legge di pubblica sicurezza.

Come a dire: signori della Commissione, state attenti che non ci sono solo i Ministri dell'Interno e della Giustizia ad alterare l'orizzonte reale con i loro tempestivi trasferimenti di funzionari corrotti o discussi, ma ci si è messa magari la mafia. È un invito cortese e quasi sorridente affinché la Commissione vada ben oltre le apparenze. Da come ne parlano, il Tenente Generale Avogadro di Casanova deve essere stato uomo di grande coraggio personale e di acuta intelligenza: secondo noi deve essere stato magari capace di una smagata ironia.

Ottavo

Il Tenente Generale Casanova, che già si era fatto conoscere per iscritto, venne interrogato a Palermo il 12 novembre 1875, vale a dire dopo sei giorni che la Commissione aveva principiato le udienze. In quella stessa seduta deposero, oltre a Casanova, Lucio Tasca conte d'Almerita, il barone Gabriele Bordonaro-Chiaramonte deputato di Terranova di Sicilia, il principe Gaetano Monroy Ventimiglia di Belmonte deputato di Bivona e un semplice avvocato che il resoconto della tornata degna solo del cognome: Muratori. Nessuna di queste testimonianze è stata inclusa dai curatori Carbone e Grispo fra quelle stampate nel 1968. Nella prefazione i curatori delineano i loro criteri di scelta delle testimonianze (e in effetti non avrebbero potuto pubblicarle tutte) e spiegano di non aver incluso quelle che servirono da base per la stesura del rapporto definitivo. Significa cioè avere eliminato dalla pubblicazione tutte le deposizioni (o quasi) degne d'interesse. E la prova è data dal fatto che le parole di Avogadro di Casanova sono appunto tra le più citate nella relazione finale che Romualdo Bonfadini scrive a nome dei suoi colleghi. Stabilito allora che la testimonianza del

Tenente Generale uno deve andare a leggersela nell'Archivio di Stato, rifacciamoci intanto alle estrapolazioni di Bonfadini per avere una prima eco di ciò che Casanova in quell'occasione disse. I punti essenziali:

– in Sicilia ad ogni questione di cose la stampa sostituisce un questionario di persone;
– tutti i sacerdoti girano armati di rivoltella;
– si va armati al ballo, nei casini, nei teatri, alle lezioni scolastiche;
– levare a tutti il porto d'armi finirebbe solo col disarmare gli onesti;
– non si può senza ingiustizia attribuire agli effetti della paura le colpe dei complici. Quando il negare cibo ai briganti può significare l'incendio di una fattoria, quando il rivelare un nascondiglio può essere causa di una pugnalata, il coraggio di farlo rasenta l'eroismo e l'eroismo non si richiede dai più;
– i cittadini hanno diritto ad essere difesi dalla forza pubblica, non dovere di dirigerla o di esporsi per essa;
– in Sicilia è impossibile pensare che si trovino le guarantigie più serie per una imparziale applicazione della legge sulle ammonizioni.

Queste, e non sono poche, le cose che pensa Avogadro e che la Commissione condivide fino al punto di accettarle nella relazione conclusiva. E mi colpisce quell'acutissima osservazione dell'uso isolano di trasformare le questioni di cose in questioni di persone. La relazione della Commissione ne dà colpa alla stampa, ma Casanova nel caso specifico di stampa non parlò: disse solo di un costume siciliano. Dall'interrogatorio integrale, che giace presso l'Archivio di Stato, risultano altre sue preziose convinzioni e intuizioni che non hanno trovato spazio nella relazione finale della Commissione.

Il generale, che cita correttamente Bacone, che non è esente da qualche civetteria di casato («un tempo anche noi fummo ricchi»), che parla il francese e l'inglese, che dei fatti d'Inghilterra è informatissimo attraverso assidua lettura di giornali e gazzette d'oltre Manica, il generale, dicevo, esprime opinioni assai diverse da quelle d'uso corrente.

Sostiene, anzitutto, che la mafia sta operando nell'isola una sorta di rivoluzione politica oltre che sociale, una rivoluzione che può senz'altro definirsi comunista di fatto («comunismo» è parola che spesso ricorre nel discorso di Casanova ma è usata oggettivamente, senza alcuna partecipazione personale). Impedendo ai proprietari terrieri di mettere piede nei loro latifondi, e alcuni nei loro possedimenti non osano farsi vedere da decenni, la mafia mette in atto, a tutti gli effetti, un esproprio. Di quelle terre espropriate la mafia gode gli utili, ripartendoli secondo una scala gerarchica che comprende, in ordine decrescente, mafiosi, campieri, sovrastanti, contadini, braccianti e, all'ultimo posto e solo pro forma, i proprietari stessi. È da questo sistema «comunista» che la mafia – sempre secondo Casanova – può muovere da una piattaforma di larghissimo consenso.

Il generale inoltre è assolutamente contrario alla promulgazione di leggi eccezionali: esse finiscono per colpire indiscriminatamente nel mucchio, per arrivare all'arresto di un colpevole si perseguono dieci innocenti provocando presso la popolazione un danno psicologico enorme, un guasto irreversibile. Basta l'applicazione coscienziosa delle leggi che già esistono, però bisogna avere non solo la volontà ma anche la possibilità di applicarle. E a questo proposito parla fuori dai denti. Spesso e volentieri – dice – la magistratura non fa il proprio dovere e non lo fa perché viene messa in condizione di non farlo, vuoi per mancanza di personale negli uffici giudiziari vuoi perché i magistrati di stanza nell'isola, quasi tutti siciliani, sono facile preda del ricatto mafioso in quanto esposti a intimidazioni e rappresaglie dirette non solo alle loro persone ma anche ai componenti delle loro famiglie. Nessun magistrato deve essere messo in condizione di fare l'eroe e di pagare un prezzo altissimo: basterebbe quindi trasferire nell'isola personale non siciliano, libero da ogni legame con la terra nella quale deve operare.

Casanova lascia anche capire che l'introduzione della leva militare obbligatoria in Sicilia non sia stata quella che si dice una bella pensata. Sarebbe stata necessaria una lunga e capillare preparazione psicologica presso gente che fino all'anno prima da quel dovere era stata esentata. Alcuni – dice ancora Casanova – sono convinti che il servizio militare obbligatorio possa essere in Sicilia una buona palestra educativa per la gioventù. Nella realtà non è affatto così. Il servizio militare serve semmai a insegnare come meglio usare le armi a coloro che le condizioni sociali inevitabilmente costringeranno a diventare briganti, malandrini, ladri. Se già non lo sono al momento in cui vengono chiamati a indossare la divisa. E porta numerosi esempi al riguardo.

Avogadro di Casanova manifesta alla Commissione, fra le cose che abbiamo riassunto, un suo parere sul modo di agire di quella che lui chiama «maffia d'apparenza» e cioè il braccio esecutivo dell'organizzazione criminale. La mafia d'apparenza fa succedere un bel giorno un fatto A che sembra concludersi e limitarsi all'esito in quel caso raggiunto. Dopo qualche tempo accade un fatto B che ha le stesse caratteristiche del fatto A ma che apparentemente non ha alcun rapporto con esso. Quindi avvengono un fatto C, un fatto D e via via fino a un fatto G che è in realtà lo scopo vero, lo scoppio terminale (il generale fa «bum!» alla Commissione), il coronamento di tutta la complessa operazione. In altri termini, la successione dei fatti, per capirne il senso, non è da leggersi secondo l'ordine temporale perché volutamente depistante. Tutta l'azione è formata da tanti segmenti che, letti in una sequenza diversa da quella temporale, avrebbero mostrato intercorrelazione e interdipendenza fino a disegnare esattamente la traiettoria, la parabola del tiro. Il generale sente perciò il bisogno di un decrittatore, di qualcuno che sappia collegare, comparare, giustapporre fatti in apparenza non connessi perché invece il nesso esiste e come. Lo tradurrei, questo discorso, in parole d'oggi: perché non organizzare un pool antimafia? (E la parola gli sarebbe piaciuta assai, anglofilo com'era). Certo, non si espresse così e con tanta precisione, ma le linee essenziali di un possibile concreto progetto le aveva esposte.

Il generale era arrivato a Palermo il 7 gennaio 1874 ed era stato interrogato il 12 novembre 1875: in due anni scarsi aveva capito benissimo molte cose dell'intricata realtà dell'isola. Aveva assai letto, assai visto e assai ci aveva ragionato sopra, dichiarò alla Commissione.

E fra le cose che aveva letto, l'occhio gli era caduto su una bolla di componenda (o di composizione, come talvolta la chiama). Dichiara che gli era stata inviata ma non dice se dietro suo preciso suggerimento e da chi. Nella bolla di componenda si condensano tutte quelle «suggestioni incessanti del clero» di cui aveva fatto cenno nella lettera alla Commissione.

Nono

Il generale gioca la carta della bolla non per strategia ma perché in quel momento è sinceramente turbato. Sta ribadendo il suo parere contrario alle leggi eccezionali e a un certo momento il suo discorso si fa leggermente confuso (badate bene: è un ottimo parlatore). L'interrogativo che lo turba e che non riesce a esprimere è questo: fino a che punto un uomo che ha commesso un reato ma che ha la coscienza e l'anima a posto in virtù di una speciale concessione della Chiesa può definirsi e sentirsi colpevole? Il presidente della Commissione, che ancora non ha sentito parlare della bolla, non capisce il trasalimento di Casanova e tenta di scendere su un terreno concreto. La risposta del generale è, ai miei occhi, assolutamente drammatica nella sua struttura pirandelliana.

VERGA Vorrebbe dire che fossero presi degli innocenti?

CASANOVA Per tutti i precedenti... in complesso, dico... è colpa di tutti e di nessuno. Al giorno d'oggi questa è cosa che accade... e per me... dico... e per me voleva portare la bolla di componenda...

PATERNOSTRO Potrebbe favorircene una copia?

CASANOVA Non ce l'ho qui. Se ne vogliono una copia ce la manderò, sì, sì, m'immagino me l'hanno mandata per me. Io sono un poco chiacchierone, forse li stancherò.

VOCI DIVERSE No, tutt'altro, dica pure!

CASANOVA Cosa è la bolla di componenda? Sbaglierò ma credo sinceramente che ha avuto e che ha origine da certe frasi molto imperfette che dicono i preti per nascondere le cose... da un'antica società di propaganda per le crociate.

CUSA La bolla delle crociate...

CASANOVA Si chiama ora componenda. Ad ogni modo la teoria della bolla attuale è questa: dice il Vangelo al capo tale versetto tale: quando uno avrà rubato una vacca dovrà restituirne sette, queste sono esagerazioni orientali, e comincia da quella buonissima idea che chiunque ha rubato debba restituire. Però, siccome può accadere che dunque il tale che in coscienza vuol restituire, e non possa trovare nonostante le più diligenti ricerche il danneggiato, allora eccoti... ogni tanti scudi paghi tanti tarì che fatto il conto in lire e centesimi viene a fare il 3 e 1/2 per cento del danno arrecato. Ed allora l'assoluzione, potranno darvi la benedizione sino a tale e tale concorrente. E questa è la regolarità. Adesso mi permettano solo di citare tre articoli che ho a memoria, sono diciassette o diciannove gli articoli.

Dice l'articolo settimo: potrà comporre, potrà essere esonerato il patrocinante che abbia ricevuto danaro, regali, somme o valori per far la parte dell'avversario del proprio cliente. Un altro articolo per comporre il giudice che riceve danaro, regali, per dare una sentenza iniqua o per provare l'alibi di una persona che ha commesso un delitto. Poi ce n'è uno (loro non saranno troppo scrupolosi) che parla di donne, per comporre quella donna che non è pubblicamente disonesta la quale abbia ricevuto valori per motivi suoi; questo è quello che accade in tutti i paesi del mondo, poi viene la seconda parte *cocage:* potrà egualmente comporre l'uomo... il quale si trova nella stessa condizione di ricevere per lucro... e tira avanti così delle quattordici pagine... Io dicevo, che volete, questa povera gente è ingannata da chi la dovrebbe condurre... E quando un paese di molta immaginazione, di passioni vive, si trova immerso, dico, la massa del basso popolo per secoli e secoli in quella putredine da chi deve condurlo alla virtù, o per mezzo di motivi umani o per mezzo di motivi superiori a tutto, come diceva un prete, quanto a questo bisogna essere giusti, bisogna dire che l'infamia è loro, è una cosa dell'altro mondo!

CUSA Senza dubbio.

CASANOVA Il milieu morale, l'atmosfera che si respira nella storia di Palermo, si trova in questa bolla di componenda. Certo è poi che il noto signor Tajani ha avuto dal Governo l'ordine di sequestrarla e di fare quel decreto, insomma, per cui non si può più pubblicare. Ma cosa importa, se tutti l'hanno dal confessore! La questione è come la costituzione d'Inghilterra che non sanno neppure dove sia stampata, è un grande uomo di stato inglese che me l'ha detto, ma la vera verità è questa, che se ne fa poco conto. Di qua, di là, c'è sempre la questione della componenda, me l'hanno mandata anche a me, e tutti hanno difetti, siamo d'accordo. Mi ricordo un articolo del «Times» che loro avranno osservato, che uno ha perduto venendo di Francia in Inghilterra in un sacco da viaggio le gioie della moglie dal valore di sette o ottocento mila lire; questo tale fece una pubblicazione ove disse che avrebbe dato, non ricordo, due o trecentomila franchi di mancia a chi glielo avrebbe fatto trovare, di più aggiunse che non avrebbe andato a cercare altro. Quello fece una componenda, e trovò in Inghilterra la legge la quale punisce, perché in Inghilterra non si ammette che uno possa comporre col delitto o con chi lo ha perpetrato. E gli si fece un processo. Da noi invece abbiamo la componenda che patteggia col ladro.

GRAVINA Ma questa componenda ha la firma di qualche autorità ecclesiastica?

CASANOVA È ben difficile prendere il prete, lo sa meglio di me! Non ha firma. Mi pare però, salvo errore, che qualcuno mi ha detto che invece della firma in un piccolo angolo c'è un bollo con un numero che serve poi per confrontare l'autentica. I preti ci hanno l'occhio per potervi guardare e, in bollettino a parte, dicevano: approviamo la bolla numero tale, dimodoché lo scontrino rapporta poi a quelle autorizzate. E chi ha una componenda in regola va a trattare. C'era la dispensa dal magro venerdì e sabato, tutto va a tariffa, un duca paga cento lire, un conte sessanta e via dicendo, tutte bambinate.

GRAVINA È stato sempre così e anche il governo l'ammetteva.

CUSA Di che epoca sarebbe quella bolla di componenda? Una stampiglia la denno portare.

CASANOVA Non so, ma dall'arcivescovo precedente a questo si esigeva già.

CUSA È questo arcivescovo che l'ha pubblicata?

CASANOVA È da secoli, è lì; il male è diventato cronico...

CUSA Dal lato dell'influenza potrebbe dirsi che l'effetto di questa bolla, che è per sé abbastanza pernicioso, fa maraviglia che non abbia compromesso di più lo stato del paese, e questo fatto ridonda piuttosto ad onore del paese anziché no, l'influenza sarebbe stata più perniciosa se non avesse incontrato il buon senso del paese che gli ha resistito.

CASANOVA Come?

ALASIA Dice il Barone che l'influenza di questa bolla è talmente pestilenziale che è meraviglia che non abbia corrotto di più il paese.

CASANOVA La corruzione c'era...

CUSA La bolla c'è.

DE CESARE Si alimentano come credenza cose condannate dalla stessa religione.

GRAVINA Nelle province del basso napoletano non si usa dal clero?

DE CESARE Là c'è la bolla della Crociata a scarico della coscienza tanto del barone, del principe, del·marchese ecc. quanto all'ultimo plebeo, ma non è la componenda.

CASANOVA Io spero averne un'altra copia dove c'è la stampiglia con due santi in nero che paiono due rospi.

A questo punto il presidente della Commissione ritiene che si sia parlato anche abbastanza della bolla di componenda e, lieto che essa non abbia prodotto, a suo parere, danni più vasti, passa a interrogare il generale su altro argomento.

Decimo

Ho fedelmente ricopiato senza cedere alla tentazione di rendere più comprensibili alcune frasi che, nel parlato, di necessità finiscono con l'essere frammentate e, certe volte, poco chiare. Devo subito rilevare come, a proposito della bolla di componenda, il discorso del generale, altrove fluido, scorrente, coordinato, si faccia invece talvolta esitante e in alcuni passi oscuro. Forse perché Casanova aveva coscienza di muoversi in un campo non suo ma certamente minato?

Ho detto che di mestiere faccio il regista principalmente di teatro. Presumo quindi di avere le carte in regola per dire che il dialogo tra il generale e i membri della Commissione non quadra, non persuade. Faccio un esempio per tutti. Quando Casanova inizia a parlare della bolla di componenda, non uno, dico non uno dei Commissari fa la più elementare delle domande: mi vuol dire, generale, di cosa sta parlando? Invece il deputato Paternostro chiede: potrebbe farcene avere una copia? E qui devo dire di una cosa divertente che c'è nella trascrizione originale dal segno stenografico. Il decrittatore traduce in un primo momento così: «vuole che gliene facciamo avere una copia?». Poi dalla risposta del generale si accorge di avere sbagliato e, cancellando, ritraduce correttamente. Ma è un errore rivelatore, perché in realtà la Commissione si comporta come se della bolla ne avesse già sentito parlare. Ma non c'è da scriverci sopra un racconto giallo. Probabilmente, in occasione di manifestazioni e ricevimenti ufficiali, il generale ne avrà privatamente accennato prima del suo interrogatorio ufficiale. Può darsi anche che qualcuno dei commissari fosse a conoscenza del decreto dell'ex prefetto Tajani col quale si proibiva la vendita della bolla. Però il dialogo mi suona falso lo stesso.

C'è un fatto che m'inquieta proprio perché non so razionalmente spiegarmelo. Ho scritto che nel corso della mia ricerca a mettermi sulla buona strada è stata la bolla dei Luoghi Santi, quella che vendevano i frati di casa in casa. Ebbene, nella sua deposizione, Casanova fa risalire l'origine della bolla di componenda a qualcosa che ha a che fare con le Crociate e De Cesare, lo storico, a un certo momento spiega che nel napoletano esiste la bolla delle Crociate. Che però nulla ha a che fare con la bolla di componenda. Sarà forse perché ai Crociati in partenza veniva concessa un'indulgenza speciale e preventiva? Se ciò fosse vero, questo avvalorerebbe la tesi – che esporrò in seguito – circa il valore anche preventivo della bolla di componenda.

I fogli sui quali sono stati trascritti, da due grafie diverse, i testi dell'interrogatorio di Casanova sono am-

pii e spaziosi. La deposizione del generale occupa sessanta fogli numerati e della componenda si parla dal foglio trentanove al foglio quarantotto. Che è una bella
percentuale. Nella pagina in cui Casanova comincia a
parlare della bolla, c'è in margine un segno a penna,
una lunga linea verticale, a richiamare l'attenzione di
chi legge.

Alla richiesta di uno dei membri e cioè se in Sicilia
ci siano bastevoli forze armate, il generale ebbe un rapido sorriso e si mise a far di conto. I siciliani – disse
– sono due milioni ottocentomila, vale a dire un deci-
mo della popolazione italiana. In Italia, escludendo
truppe speciali come carabinieri e bersaglieri, esistono
duecentottanta battaglioni di soldati. A rispettare le percentuali io – aggiunse – dovrei avere ai miei ordini nel-
l'isola ventotto battaglioni. Invece ne dispongo di qua-
rantuno. Pochi giorni dopo il suo interrogatorio, il
presidente della Commissione gli scrisse per avere l'e-
satta dislocazione di queste truppe. Si dimenticò –
evidentemente – di ricordare a Casanova l'invio della
promessa bolla di componenda.

In data 25 novembre, tredici giorni dopo essere stato ascoltato, Casanova invia lo specchietto richiesto. Ma
siccome è uno straordinario cane da caccia, di quelli che
non mollano mai la preda, premette poche righe:

In esecuzione al desiderio espresso dalla Signoria Vostra
Illustrissima ho l'onore di trasmettere una copia a stampa del-

la bolla di composizione affinché Ella possa farne far copia presso cotesta Commissione, che io credo avrebbe così maggiore autenticità, e poscia compiacersi di ritornarmela quando più non le abbisogni.

...«che io credo avrebbe così maggiore autenticità»: e si può cadere in un equivoco. Casanova non intende far autenticare un falso, vuole invece una ratifica superiore, a sgombrare il campo da ogni sospetto di mistificazione.

E qui devo muovermi lento, un piede leva e l'altro metti. In calce alla riproduzione di questa lettera, i curatori della pubblicazione mettono quattro richiami. Il primo si riferisce alla collocazione nell'archivio: fascicolo 8, serie E, numero II. Il secondo riguarda la bolla inviata da Casanova ed è lapidario: «Manca». Il terzo si riferisce alla dislocazione grafica delle truppe: «Non si pubblica». Il quarto ed ultimo riporta una «nota marginale» scritta non si sa da chi sulla lettera stessa: «restituita la bolla, 5 dicembre».

A noi interessano il se˘ ndo e il quarto richiamo. La bolla di «composizione» inviata dal Tenente Generale non può trovarsi acclusa ancora alla lettera perché la nota in margine afferma che l'originale a stampa venne restituito al mittente dieci giorni dopo la ricezione. Questo significa che il Presidente ebbe tutto il tempo, prima di tornarla indietro, di farne copia come richiesto da Casanova. Quindi, mandando agli atti la lettera, il Presidente avrebbe dovuto correttamente allegare una copia, altrimenti il documento sarebbe risultato (come lo è) incompleto. Noi non sappiamo se questo venne fatto, ma quel «manca» annotato dai curatori non apre che due strade: il Presidente copia non ne fece e restituendo l'originale a Casanova ne disperse ogni traccia oppure il Presidente copia ne fece e questa venne successivamente sottratta dal fascicolo che la conteneva. Ma perché non sottrarre magari la lettera d'accompagnamento? Perché resa così monca la lettera diventa priva di senso, allude a qualcosa che non esiste. E poiché non è pensabile che la copia della bolla di componenda sia andata a finire fuori posto (l'inventario dell'archivio fatto dai curatori è accuratissimo), diverse ipotesi oltre alle due da me avanzate non se ne possono formulare.

Undicesimo

Dai verbali delle ultime udienze tenute a Messina nella seconda metà del mese di gennaio 1876 si ricava l'impressione che la Commissione sia stanca e tanticchia intordonuta. I commissari non fanno più ai testimoni le brillanti osservazioni che usavano fare tre mesi avanti, ora stanno a sentire passivamente tutto quello che viene loro detto e le scarse domande che trovano ancora la gana di fare non possono di sicuro dirsi né acute né degne di persone di sapere e di esperienza. Dal giorno in cui la Commissione si era trasferita in Sicilia aveva interrogato prefetti e sindaci, uomini politici e gente di cappello, proprietari terrieri e artigiani di nome, commercianti e nobili di sangue, magistrati e presidi, militari d'alto grado e chiarissimi professori universitari, questori ed esattori di tasse: il meglio, dai gattopardi in giù fino ai gatti di razza. E le risposte erano sempre state le stesse, con qualche leggera variante.

Qualcosa di più interessante e diverso la Commissione avrebbe potuto sentirlo dalle bocche di chi invece era stato escluso in partenza dalle liste degli interrogandi: operai, giornatanti, stagionali, saccaroli, solfatari, salinari, minatori, pirriatori, carusi di miniera, spalloni, sciccaroli, scaricatori, ambulanti, carrettieri e compagnia bella, tutta gente abituata a campare alla giornata, alla ventura, e perciò più propensa ad occuparsi di spicciole realtà quotidiane che non di grosse questioni sociali ed economiche. E quindi la loro esclusione non era da imputarsi a cattiva volontà da parte di chi non aveva voluto pigliarli in considerazione. Anzi, era da accreditarsi a un sensibile gesto di cortesia. Come ognun sa, quella gente non era abituata al civile conversare, era piuttosto propensa al turpiloquio e alla bestemmia e i funzionari governativi che avevano compilato gli elenchi delle categorie da interrogare non avevano voluto metterle in condizioni di disagio.

Sebbene confortata dalle risposte pesate e contropesate di chi delle parole sapeva fare giusto, civile e vasellinato uso, la buona intenzione dei commissari, inizialmente balda come si è detto, dopo i primi due mesi principiò ad allascare giorno dopo giorno. All'atto della partenza da Roma, alla fine dell'ultima interminabile riunione preparatoria, i commissari si erano detti: «In Sicilia, parliamo solo di cose concrete, di fatti, non lasciamoci coinvolgere nel gioco delle supposizioni, delle insinuazioni, delle allusioni, delle mezze frasi, del detto e non detto. I siciliani in questo campo ambiguo sono maestri».

«I siciliani» aveva rincarato l'onorevole Francesco Paternostro «dicono di parlare latino, di parlare spartano e di parlare siciliano. A noi interessa che parlino latino, che vuol dire esprimersi con limpidità e chiarez-

71

za. Non bisogna farli parlare in siciliano, ché altrimenti finiamo col non capire più niente».

«E lo spartano mi scusi?» aveva domandato Bonfadini.

«Quando parlano in spartano è meglio non starli a sentire, una sequela di turpitudini e bestemmie».

E alla regola concordemente scelta si erano infatti rigidamente attenuti, richiamando all'ordine o non tenendo in alcun conto chi si discostava da una nuda e cruda esposizione dei fatti.

E i fatti, per fermarsi ai più evidenti, si raggrumavano in gare d'appalto truccate senza ritegno; in funzionari statali trasferiti dal nord al sud per sospetta (o acclarata) corruzione e che nell'isola avevano letteralmente trovato la mecca; in amministratori di una giustizia esercitata, a seconda dei casi, a naso, a vento, a tinchitè, a tempesta e mai codice civile o penale alla mano; in opere pubbliche che nel giorno stesso della loro ufficiale inaugurazione risultavano fatte con la ricotta e miseramente si accasciavano davanti a sindaci complici con tanto di fascia tricolore e a bande municipali perlomeno perplesse; in scuole senza alunni perché da tempo immemorabile a tetto scoperto; in ospedali tanto assenti quanto programmati; in strade ferrate accuratamente studiate, severamente progettate, puntualmente pagate e mai messe in funzione; in ponti latitanti dalla realtà mentre invece risultavano sulla carta topografica in bella evidenza localizzabili; in trazzere che da un paese si dipartivano per terminare nel nulla e via di questo passo. Ne veniva fuori un paesaggio disastrato, certo, ma un paesaggio, come dire, divisionista. Visto da lontano pareva avere una sua logica, taliàto invece da vicino risultava composto in modo irritante da segmenti diversi che non solo non dimostravano di avere rapporto tra di loro ma che talvolta per sovrappiù si proclamavano l'uno all'altro contrastante.

Si erano affannati, gli onorevoli commissari, ed era stato peggio: col trascorrere delle giornate e degli incontri, le parole che componevano le domande e le parole che componevano le risposte erano diventate simili a tessere disordinate di un mosaico di cui fosse andata smarrita la sinopia, tessere cadute nel fango delle trazzere impraticabili, nella poltiglia scivolosa delle strade cittadine, nei vicoli inondati dai pozzi neri traboccanti, perché fin dal primo giorno d'inchiesta mai nell'isola aveva smesso di piovere, mai aveva scampato, un diluvio continuo, bastava per assammararsi il tratto scoperto da percorrere dalla carrozza a un qualsiasi governativo portone, e poi tutta la seduta si sdipanava nel disagio dei vestiti che colavano e fetevano di lana vagnata.

Quei fatti sui quali tanto avevano contato non significavano in realtà assolutamente niente slegati com'erano l'uno dall'altro. Sicuramente per il loro esistere, per il loro prodursi, un tessuto connettivo doveva esserci stato, una intelaiatura. Ma agli occhi dei commissari erano rimasti invisibili.

Dodicesimo

L'udienza del 26 gennaio 1876 (fra le ultime, perché tutte le udienze hanno termine il 29 dello stesso mese) si svolge a Messina. Si presentano a deporre, assieme ad altri, Michelangelo Bottari, tipografo ed ex deputato, e il barone Francesco Perroni Paladini, deputato di Castroreale.

Bottari non c'entra niente con la mia ricerca ma credo che meriti di essere ricordato per l'amara frase con la quale conclude la sua testimonianza: «La Sicilia non ha altro vantaggio che di aver dato una parola (maffia) alla lingua italiana».

Con il barone Perroni Paladini invece si torna a parlare della «componenda», scrivo parlare per modo di dire, perché il barone vi fa un accenno di sfuggita senza che nemmeno uno dei commissari chieda chiarimenti. Da quando il Tenente Generale Casanova, agli inizi degli interrogatorii, cioè due mesi avanti, aveva reso edotta la Commissione sull'esistenza della bolla di componenda nessuno aveva più aperto bocca sull'argomento.

Perroni Paladini è uno che nello studio della storia ci sguazza beato. Di fronte alla Commissione, esausta, si lancia in una lunga dissertazione sul brigantaggio nelle campagne (partendo dalle guerre servili) e sull'istituzione della milizia a cavallo. I militi a cavallo erano reparti armati che niente avevano a che fare né con i carabinieri né con le forze di pubblica sicurezza: la loro funzione consisteva essenzialmente nella protezione dei proprietari terrieri e dei loro beni. Mantenerli – sia pure con rinnovati e più severi regolamenti – oppure definitivamente scioglierli è uno dei problemi che attraversano trasversalmente tutte le 104 udienze. I militi agivano sullo stesso territorio nel quale erano nati e vissuti ed erano tutti praticamente conoscenti o parenti dei briganti che sullo stesso territorio operavano. Questo era uno straordinario punto di forza per i pochissimi militi onesti; per i disonesti, la maggioranza, era invece una vera trovata: spesso dei briganti diventavano complici ben retribuiti o salariati a un tanto al mese. Perroni Paladini (contrariamente a molti suoi colleghi nobili) ne domanda con fermezza l'abolizione:

L'istituzione delle compagnie d'arme contro i corridori di campagna è antica sventura della Sicilia per le condizioni locali e sociali. Così troviamo la bolla *de componenda,* troviamo i ricatti.

A questo punto nasce una perplessità. Una domanda, per prima: come mai i commissari non fanno domande, non chiedono spiegazioni sulla componenda, come se fosse cosa saputa e risaputa? Torno a ripetere: ne hanno sentito parlare solo da Casanova, che si è anche premurato di farne loro avere esemplare a stampa. Ma la mia perplessità nasce da altro motivo. Dato il contesto del discorso di Perroni Paladini, e cioè i militi a cavallo e il brigantaggio nelle campagne, la bolla di componenda alla quale accenna l'onorevole barone non è, e non può essere altro, che quella componenda della quale abbiamo già discorso e che così Pallotta ha definito nel suo *Dizionario storico:* una transazione tra militi a cavallo e malviventi in base alla quale il derubato ritirava la denunzia contro il ritorno in possesso di una parte dei suoi averi.

Ma perché Perroni Paladini la chiama bolla? È assurdo ipotizzare che esistesse un modulo prestampato sul quale di volta in volta militi a cavallo da una parte e briganti dall'altra scrivevano a penna o a matita le condizioni di componenda che variavano sempre. Sono costretto a insistere: questo tipo di transazione, che avrebbe sicuramente compromesso chi l'ordine in qualche modo rappresentava, non poteva consistere in un documento scritto. E allora? E allora rimane da pensare che Perroni Paladini abbia commesso un lapsus, chiamando bolla di componenda qualcosa che componenda certamente era ma non bolla. La bolla di componenda, quella autentica, il barone doveva avercela nella memoria, ma non era quella di cui stava parlando alla Commissione.

Che cosa fosse la vera bolla di componenda lo sapeva il Tenente Generale Casanova. Altrimenti non avrebbe usato la cautela che usò. Se si fosse trattato della scoperta di un compromesso, anche scritto (lo diciamo per assurdo) fra un'alta autorità e i briganti, sono certo che Casanova non avrebbe avuto timore dello scandalo e avrebbe denunciato la cosa ai suoi superiori, onesto com'era, magari a costo di trovarsi in una posizione difficile. Quindi la bolla (a stampa, si badi bene) che fece pervenire al Presidente della Commissione era ben altra cosa e tale, per la sua enormità, da poter far sorgere il dubbio di una malvagia mistificazione.

Ma questa bolla inviata da Casanova «manca». È sparita. Accuratamente conservati e catalogati invece documenti come il «Rapporto sull'eclissi totale di sole del 22 dicembre 1870» oppure come il «Catalogo dei libri della biblioteca circolante di Misilmeri» (credetemi, non me li sto inventando), documenti di estrema utilità, fondamentali, per l'inchiesta sul malandrinaggio. La bolla di componenda invece, abilmente, la si è tramutata in una bolla di sapone.

Tredicesimo

Durante i mesi che precedettero le udienze, e nel corso di queste, la Commissione venne subissata da una vera valanga di lettere e documenti. Erano petizioni, denunce, atti amministrativi, sentenze, relazioni, cartelle di tasse, statuti di circoli privati, consuntivi di opere pie: un catalogo interminabile di doglianze, di soprusi subiti, di prepotenze patite, di ingiustizie alle quali la Commissione, a parere dei postulanti, avrebbe dovuto porre rimedio. Le centinaia di lettere anonime vennero immediatamente cestinate. Ma fra quelle carte ce ne sono magari di chi, in modo del tutto disinteressato, desiderava dare una mano d'aiuto ai commissari sottoponendo loro il risultato di private inchieste. Era, in quegli anni, quasi diventato di moda l'indagare sull'isola non solo da parte del governo e delle Camere (due membri della Commissione in Sicilia c'erano già stati per indagini settoriali) ma anche da parte di giornalisti, privati cittadini, uomini di cultura. È il caso del professor Giuseppe Stocchi il quale ha il merito, almeno ai nostri occhi, di ridare peso e spessore a quella bolla di componenda che si era mutata in bolla di sapone. E che peso. E che spessore.

E diciamolo subito, a chiare lettere, prima di andare oltre: la componenda (e cioè, ripetiamolo ancora, l'accordo illecito tra briganti e poliziotti) non è altro che la versione *laica* e in un certo senso addomesticata dell'autentica e originaria bolla di componenda. La quale invece consiste in un incredibile tariffario a stampa, emesso ufficialmente dal clero («bolla») con le percentuali da pagare alla Chiesa per i reati commessi. La compera della bolla da parte dei malfattori viene automaticamente a costituire sottoscrizione di patto.

Questo spiega perché Casanova, quando ne parla, nutre il timore dell'incredulità altrui.

Tra l'agosto e il settembre del 1874, il giornale «La Gazzetta d'Italia» pubblica quattordici lettere del professor Giuseppe Stocchi raccolte sotto il titolo complessivo *Sulla pubblica sicurezza in Sicilia*. Sono lettere che si inseriscono in una polemica sollevata da uno scritto dell'onorevole Principe di Belmonte e indirizzato al Ministro dell'Interno. Un pubblicista della «Gazzetta» interviene a dare appoggio al Belmonte e, in sette articoli, enumera i provvedimenti necessari a porre fine alla «confusione babelica nell'ordine delle idee morali e politiche» che domina in Sicilia e al «triste spettacolo che danno le popolazioni siciliane di un pervertimento morale e di un completo disordine nelle idee». I provvedimenti del pubblicista (di cui non conosco il nome e non mi interessa neppure conoscerlo: ho scritto altrove e qui confermo che non ho testa di storico) sono:

– scelta accurata dei funzionari di grado elevato che non solo siano all'altezza della loro missione amministrativa ma siano anche persone capaci di ispirare fiducia;

– nuova regolamentazione della milizia a cavallo;

– precisa delimitazione delle attribuzioni del corpo di pubblica sicurezza il cui coordinamento è posto sotto la sola autorità prefettizia;

– «che la polizia esploratrice sia organata a dovere»;

– che la magistratura giudicante sia composta da siciliani fatti tornare dalle province del nord;

– che i prefetti, i sottoprefetti e i questori siano sottratti alle «nequitose» consorterie locali;

– che infine a tutti i dipendenti siano impartite norme chiare e sicure di condotta.

Ed è arrivato a questo punto che il professor Stocchi, studioso impregnato di storicismo positivistico, preside da qualche anno del severo e avanzato Regio Ginnasio «Ciullo» di Alcamo, si sente letteralmente basire pur condividendo quanto scritto dall'illustre pubblicista. Ma come?! Se le premesse sono quelle di una «babelica confusione nell'ordine delle idee morali», se si scrive di «pervertimento morale», come possono questi sette provvedimenti incidere sulla profondità e l'estensione del problema morale posto alla base del discorso?

Questi provvedimenti – argomenta il professor Stocchi – sono pannicelli caldi che non curano la sostanza della questione, si limitano a dettare alcune sacrosante regole per «una buona e savia amministrazione locale». Bisogna invece cercare le «cagioni» del malessere e non limitarsi a tentar di curare le conseguenze del malessere stesso; «la questione» scrive Stocchi «non è soltanto amministrativa, essa è altresì politica; ma più ancora che politica, è questione sociale, essenzialmente ed eminentemente sociale. Non guardarla e non scrutarla sotto questo aspetto, sarebbe, a mio avviso, un aggirarsi in un perpetuo circolo vizioso, uno stemperarsi ed esaurirsi in inutili sforzi». Le quattordici lettere che allora invia alla «Gazzetta» così s'intitolano: 1) *Lo stato della questione;* 2) *La questione sociale – Elemento religioso;* 3) *La questione sociale – Elemento economico;* 4) *La questione sociale – Elemento politico;* 5) *La mafia;* 6) *Il malandrinaggio e l'abigeato;* 7) *Gli odii di famiglia e le vendette;* 8) *I militi a cavallo;* 9) *I processi;* 10) *I municipi;* 11) *La donna siciliana;* 12) *I rimedi;* 13) *I rimedi;* 14) *I rimedi.* Sono tutte firmate con uno pseudonimo: «Fly».

Che il professor Stocchi sia persona d'ingegno basta a dimostrarlo il titolo dell'undicesima lettera, *La donna siciliana.* Della donna nessuna inchiesta, parlamentare o privata, ha mai tenuto conto. La donna siciliana – scrive Stocchi – è puro e semplice strumento d'amore, ma (attenzione!) amore inconcepibile al di fuori di quello familiare. All'interno della famiglia (famiglia amata dall'uomo violentemente e rozzamente) la femmina quale oggetto d'amore diventa il perno centrale, il punto nodale dell'esistenza quotidiana: essa però dipende totalmente, a sua volta, dall'ascendente che i preti hanno su di lei «per mezzo del confessionale e di cento altre pratiche religiose».

È proprio sulla struttura chiusa della famiglia siciliana che il campo di ricerca delle «cagioni» deve necessariamente estendersi – sostiene Stocchi – perché sono infiniti i fatti di sangue che da essa hanno origine e danno luogo a una lunga catena di delitti.

Basta considerare qual è l'atteggiamento della famiglia al momento del richiamo alle armi di un figlio o di un fratello, evento patito come una ferita della struttura familiare: «I giorni dell'estrazione e della visita di *assento* sono giorni di lutto rigoroso, precisamente come quelli della morte di qualche più stretto congiunto. La famiglia non esce di casa, gli studenti non devono andare a scuola, i padri e i fratelli accompagnano i coscritti più dolenti che se li accompagnassero al cimitero».

Allora, in moltissimi casi, meglio la fuga, la renitenza, oppure per mezzo di stenti e privazioni portare il futuro coscritto a un passo dalla morte, in modo che non possa essere che riformato. Un dato certo è che le nascite in Sicilia, negli anni immediatamente dopo l'Unità, calarono almeno del trentacinque per cento. Si coniò allora un modo di dire: «nni livaru u piaciri do fùttiri», dove fùttiri s'intende solo nell'intimità domestica e non certo per puro piacere sessuale.

Efficacemente Stocchi descrive l'aberrante travaglio del travagghiu del bracciante agricolo, del giornatante, pagato con quel che basta appena per la sopravvivenza, una paga «derisoria» la chiama il professore, per lavorare una terra che è nemica e che lo costringe, letteralmente, a odiare il padrone o «l'ingordo affittuario». E quando rientra nel miserabile tugurio dove vive la sua famiglia, tugurio assai spesso simile alla tana di un animale, egli non può fare a meno di pensare che forse nel malandrinaggio c'è la soluzione al suo stato. Tanto, la bolla di componenda, in ogni caso, lo assolve dalla colpa di fronte a Dio. Perché Dio è giusto, e non può tollerare che un omo si riduca più sotto di una vestia sirvaggia.

Io non posso esaminare tutti i temi che Stocchi mette in discussione, e sono uno più intelligente dell'altro: bisogna però ancora ricordare l'analisi che fa, come «cagione», del modo di pensare e di ragionare della classe dominante, di quei grossi borghesi e di quei nobilotti che trovano accordi col malandrinaggio e spesso sono in combutta con esso. Parecchi quindi, a ben vedere, i punti su cui il piemontese Tenente Generale Avogadro di Casanova e il professore siciliano Giuseppe Stocchi si vengono a trovare d'accordo pur partendo da osservatori diversi e all'insaputa l'uno dell'altro. E tutti e due commettono lo stesso errore: quello di ritenere che la Commissione parlamentare dovesse anche occuparsi delle «cagioni». La Commissione voleva invece avere un quadro delle «condizioni» per come ai suoi occhi in quel momento si presentavano e semmai indicare le strade «per una buona e savia amministrazione locale». E quindi non tennero conto nemmeno della bolla di componenda che «cagione» era, e grossa assai.

Quattordicesimo

Alla bolla di componenda Giuseppe Stocchi dedica interamente la sua seconda lettera, quella intitolata *La questione sociale – Elemento religioso.* E io qui, per prudenza, mi limito ancora a trascrivere.

La natura del siciliano è intrinsecamente non religiosa, ma superstiziosa. Tale disposizione naturale è poi fomentata dall'interesse; prima perché in quella specie di fatalismo, che è inseparabile da qualunque religione positiva, egli trova una scusa e quasi una sua giustificazione alla sua ritrosia al lavoro e al darsi attorno; poi perché le turpi condiscendenze e larghezze di un sacerdozio ignorante, corrotto e insaziabile, gli addormentano la voce e i rimorsi della coscienza, prodigandogli assoluzioni e benedizioni per qualunque colpa o delitto, e lo incoraggiano ai vizi e ai misfatti a cui è tanto proclive.

Qui è la prima radice di ogni male. I facinorosi più famigerati cominciano sempre col furto e con la *componenda.* Ora il furto e la componenda sono non solo tollerati e perdonati, ma autorizzati e incoraggiati dal cattolicismo come lo intende e lo pratica il sacerdozio e il laicato siciliano.

E difatti sapete voi di dove viene il nome stesso di *componenda?* Viene dalla *bolla di componenda* (tale è il suo titolo ufficiale e popolare insieme) che ogni anno si pubblica e si diffonde larghissimamente per espresso mandato dei vescovi, in tutte le borgate e le città della Sicilia.

Questa bolla di componenda *si vende* da speciali incaricati, che ordinariamente sono i parrochi, al prezzo di lire una e tredici; e mediante essa uno è autorizzato a ritenere *con tranquilla coscienza* fino a lire trentadue e ottanta di roba o denaro rubato.

Per ogni bolla poi che uno compra al prezzo suddetto, s'intende *composto* per la medesima quantità, fino a che la somma maltolta arrivi a *tarì tremilaottocentosessanta* (lire 1.640,50). Superata questa cifra, il ladro deve andare, o mandare, direttamente dal vescovo, e allora la *componenda* si fa a quattr'occhi e per stralcio. Par di sognare!

Ma non è solamente per il furto che uno si può comporre. Lo può fare per altri diciannove *titoli,* che comprendono ogni specie reale e immaginabile di furfanterie. Bisognerebbe riportarli tutti, giacché sono l'uno più mostruoso e svergognato dell'altro. Ma la via lunga mi sospinge e non debbo dimenticare l'indole di questo scritto né le esigenze del giornale.

Dopo aver precisato che le sottolineature sono tutte di Stocchi, ci sia consentita una minima pausa. Scarso in numeri come sono sempre stato, non riesco a capacitarmi in base a quali complicate stime i vescovi calcolassero la percentuale loro spettante. Non vale la pena di tentare un elenco ragionato dei venti «titoli» e di ciò che in essi è contenuto e variamente intrecciato. Basterà dire che dalla corruzione all'abigeato, dalla falsa testimonianza alla circonvenzione d'incapace,

tutto viene catalogato e prezzato. Ma c'è magari qualcosa di più sottile.

Come saggio, e come addentellato agli altri argomenti di
che dovrò occuparmi in seguito, mi limito a trascriverne te-
stualmente due soli, invitando il lettore a figurarsi il resto.

4 – Se alcun giudice ordinario, o delegato, o assessore avesse ricevuto alcun denaro o altra cosa per pronunciare una *iniqua sentenza* o per dilatare (sic!) la causa in detrimento della parte, o per fare alcun aggravio o *altra cosa che non do-
vessero,* in tal caso si possono (sic!) e si *devono comporre* di
quello che in tal modo avessero ricevuto.

16 – Tutte le femmine, che non sono pubblicamente disoneste, si possono comporre di qualsivoglia prezzo di denaro o di gemme che per ragione turpe avessero ricevuto; e
gli uomini che similmente per la suddetta cagione avessero
ricevuto denaro o altro da femmine libere si possono comporre alla stessa maniera. Tale è la morale a cui il clero cat-
tolico educa il popolo e specialmente le plebi in Sicilia, e tale era l'indirizzo favoreggiato e protetto e inculcato dai passati governi.

Un attimo ancora, per prendere una boccata d'aria
e tentare un accenno di commento. Le «femmine che
siano pubblicamente disoneste» non sono esentate, ap-
partengono invece ad un altro capitolo, o titolo, dove
la prostituzione è minuziosamente catalogata come è
catalogato l'ufficio dello sfruttatore, del «ricottaro»,
come allora si diceva in Sicilia. Qui vengono prese in
considerazione le donne «non pubblicamente disoneste» che ricevono dall'amante dei doni in denaro o in

86

pietre preziose; così come sono indicati gli uomini che ricevono da una donna «libera» (nel senso di adultera) un qualsivoglia regalo per le loro prestazioni. Ma quanto possa essere devastante la bolla di componenda emerge dal punto quattro, dove ogni forma d'ingiustizia resa nell'ambito dell'esercizio della giustizia può essere debitamente composta. E ancora: ogni reato citato nella bolla è giustamente qualificato come «turpe», «iniquo», eccetera: è un giudizio morale di cui viene investito solo il compratore della bolla, non il venditore.

Ora cos'è il *prezzo* della bolla di componenda? Al tempo stesso che una tassa in favore del clero sul delitto, è una partecipazione al furto e un furto esso stesso. E il volgo, sottilissimo ragionatore e logico impareggiabile, nei suoi interessi e nei suoi vizi, ne conclude (e sfido se può essere diversamente) che se partecipa ai furti e ruba il prete, a più forte ragione può rubare lui, e che perciò il rubare *non è peccato*. E quando il siciliano ignorante si è persuaso che una cosa non è peccato, di tutto il resto non teme o non si cura, soccorrendogli mille mezzi e infinite vie a non cadere o a sfuggire alle sanzioni della giustizia umana. Gli basta essere certo (stolta ma esiziale certezza) che non andrà all'*inferno*; e da questa unica paura lo guarentisce l'esempio e l'assoluzione del prete.

E la *bolla di componenda* che cosa è essa? È, né più né meno, un *ricatto*. E anche qui il siciliano idiota avidissimo ripete il medesimo ragionamento, e arriva per necessità alla medesima deduzione.

Come l'abigeato, uno dei più fieri flagelli della Sicilia, discende in linea retta dal furto autorizzato e poco meno che reso sacro dal ministro e da una specie di rito religioso, così ne discendono naturalmente e inesorabilmente le aggressioni a mano armata e le grassazioni sulle pubbliche vie. E a queste sono per nodo indissolubile legati i ferimenti e gli omicidi. D'altra parte la connessione che stringe le componende ai ricatti, i ricatti ai sequestri di persona, e questi di nuovo ai reati di sangue, è non meno evidente e innegabile.

È tutta una catena non interrotta di una solidità spaventevole. O si spezza e si annienta il primo anello, o meglio il cardine a cui esso è attaccato, o bisogna subirne fino in fondo il mortifero svolgimento e trovarcisi costretti come tra le spire del boa.

Quindicesimo

«La natura del siciliano» asserisce nella sua premessa il professor Stocchi «è intrinsecamente non religiosa, ma superstiziosa».

C'è uno splendido mimo di Francesco Lanza che chiarisce molto bene, a mio avviso, quale sia la vera «natura» del siciliano circa le questioni di fede.

Un contadino di Nicosìa aveva nella vigna un pero che non faceva né fiori né frutti, per quanto quello stesse a curarlo, potandolo e innestandolo. Dopo qualche anno di inutile attesa il contadino si stuffò, pigliò l'accetta e dei rami ne fece legna da ardere. Il tronco invece lo lasciò dov'era, all'acqua e al sole. Ora fagliando nella chiesa una statua di Cristo, quel tronco parve giusto giusto allo scultore appositamente ingaggiato. Il nicosiano gli dette il permesso di segarlo alla base e portarselo via. Lo scultore era bravo assai e la statua di Cristo, artisticamente intagliata, dentro la chiesa fece un bellissimo vedere, tanto che tutti i fedeli si fecero persuasi che un Cristo così bello e somigliante non poteva non essere miracoloso. Un brutto giorno al nicosiano si ammalò gravemente il figlio e il contadino si precipitò in chiesa e principiò a pregare rivolto alla statua: «ricordati che io, quando eri pero, ti ho coltivato e fatto crescere, sono sempre stato io a portarti via i rami, io ad avere la bella pensata di lasciarti in mezzo al campo, io a cederti allo scultore. Insomma, se non era per me tu Cristo non lo saresti mai diventato, saresti rimasto un pero sterile come tanti ce ne sono da queste parti». Il Cristo non faceva zinga di stare ascoltando quelle preghiere, anzi pareva farsi sempre più distaccato via via che il poveretto lo supplicava. Finché al nicosiano vennero a dirgli che smettesse di pregare: suo figlio era morto.

«Ahi!» gridò allora battendosi la coscia «pero non facesti mai pere, e Cristo manco fai miracoli. Lo sciocco fui io a pregarti».

E in quanto alla bolla di componenda, la superstizione non c'entra proprio per niente: in chiesa veniva venduta, dai parroci stessi o dal sagrestano per delega del parrino. Era, a tutti gli effetti, cosa di Dio.

Vorrei evitare a qualcuno la possibilità di cadere, e per colpa mia, in un fuorviante equivoco. Ripercorrendo il procedimento mentale e mnemonico col quale sono arrivato a rintracciare la spiegazione della bolla di componenda, a un certo momento ho tirato in ballo la bolla dei luoghi santi, trovata fra le carte di mia madre. Quella era una normale bolla d'indulgenza che aveva l'anormalità di essere messa tranquillamente in vendita facendo ricorso a quella piccola furberia di cui abbiamo già detto. Della particolarità che acquietasse i temporali o smorzasse gli incendi (o preservasse dalle ruberie come scrive Consolo) su quell'istoriato foglio di carta non se ne faceva minimamente cenno: era cosa discretamente sussurrata dai frati che la vendevano e dai compratori tenacemente creduta: di questo ramo di superstizione che nasceva da un tronco religioso nessuno aveva mai messo nero su bianco. Ad ogni occasione poteva essere smentito, negato, da chi la bolla aveva messo in circolazione.

Desidero insomma sgombrare il campo dall'ipotesi che la bolla di componenda possa in qualche modo, e sia pure tirata per i capelli, avere la valenza di una bolla d'indulgenza, anche la più distorta, la più menzognera. Avevano però tratti esteriori simili.

Consideriamo qualche tratto di somiglianza. Tutte e due vengono offerte al fedele secondo quello che Stocchi chiama «una specie di rito religioso».

È necessario però premettere che il professor Stocchi, inviando alla Commissione le quattordici lettere pubblicate, le accompagnò con molti fogli scritti a mano: trattano delucidazioni e precisazioni che avrebbero appesantito gli articoli del giornale. E noi di quei manoscritti teniamo debito conto.

E dunque la bolla di componenda, come ogni altra bolla d'indulgenza, veniva offerta nel luogo sacro per eccellenza, la casa del Signore, la chiesa. E proprio dentro quelle mura, non sul sagrato o zone limitrofe o nella sagrestia stessa. La bolla di componenda, come la bolla d'indulgenza, la si poteva dunque trovare in chiesa ma non sempre, solamente in alcuni giorni speciali, poi non era più possibile reperirla. Questi giorni speciali sono in genere festività religiose (anche particolari come la festa del santo patrono), e, come la «bullailochisanti» veniva venduta nella settimana pasquale, la bolla di componenda lo era nell'arco di tempo compreso fra il giorno di Natale e l'Epifania. L'offerta della bolla di componenda, allo stesso modo della bolla d'indulgenza, era effettuata da frati o ministri di Dio («i parrochi», scrive Stocchi). Ma io sono persuaso che venissero vendute anche da altra gente che non apparteneva ai ministri di Dio però a loro assai vicina, come i sagrestani. Si tenga presente che in molte chiese, a tutt'oggi, il sagrestano è l'alter ego del prete. Dico questo perché, nel caso specifico della bolla di componenda, i parroci, sapendo benissimo di star «male oprando» demandando quel compito al sagrestano, potevano in ogni momento chiamarsene fuori.

E infine: la bolla di componenda, come quella d'indulgenza, era emanata da un'autorità superiore a quella del parroco. Al minimo, un vescovo.

Sedicesimo

Alle indulgenze l'*Enciclopedia cattolica* (non oso metter mano ad altro libro sulla materia, ché vi annegherei senza costrutto) dedica numerose e dense colonne. Sono costretto a citarne alcuni passi per una migliore comprensione del problema del rapporto tra bolla e indulgenza.

NATURA. Secondo l'insegnamento della Chiesa, ogni peccato, anche veniale, lascia nell'anima non solo lo stato di colpa ma anche lo stato di pena. Ora il fedele, che confessa i suoi peccati o emette un atto perfetto di contrizione con il proposito di confessarsi, ottiene sicuramente la remissione della colpa e il condono della pena eterna, che segue ogni colpa grave, ma non sempre o almeno non del tutto, consegue la remissione della pena temporale, la quale può essere rimessa in questa vita per mezzo delle opere satisfattorie e delle indulgenze, oppure dovrà essere rimessa nell'altra vita, in Purgatorio. L'indulgenza pertanto non è remissione della pena eterna, la quale viene condonata unitamente alla colpa, né remissione di colpa sia mortale sia veniale. Né molto meno può dirsi che l'indulgenza sia la remissione dei peccati futuri, come hanno insegnato alcuni protestanti: lo ha dichiarato espressamente papa Eugenio IV. L'indulgenza invece è un atto di giurisdizione, che suppone lo stato di Grazia e che viene esercitato, pur in diverso modo, sui fedeli vivi e sui defunti. Per i vivi, l'indulgenza è concessa per modo di assoluzione, ossia di remissione per un atto di potestà giudiziale, che porta con sé una soluzione, ossia un pagamento operato con i beni comuni della famiglia cristiana... Tale remissione di pena opera non solo in fòro esterno, davanti alla Chiesa, ma anche in fòro interno, davanti a Dio. L'autorità ecclesiastica nel concedere le indulgenze attinge al tesoro della Chiesa, costituito dai meriti satisfattori di Gesù Cristo, ai quali vanno aggiunti quelli della Vergine e dei santi. Ogni opera buona, fatta in stato di Grazia, oltre la parte meritoria, ch'è inalienabile e che dà diritto alla giusta ricompensa, porta con sé la parte satisfattoria, per mezzo della quale si può scontare il debito temporale contratto con il peccato e che può essere ceduta anche agli altri. Tale tesoro viene applicato mediante la Comunione dei santi, in forza della quale la Chiesa trionfante, la purgante e la militante non costituiscono tre società, ma formano un solo corpo di cui Cristo è il capo e i fedeli le membra...

REQUISITI PER LA CONCESSIONE E L'ACQUISTO DELLE INDULGENZE. Da parte del concedente si richiede che abbia la legittima potestà: distribuire infatti i beni di una società, quali sono le indulgenze rispetto alla famiglia cristiana, spetta a coloro che presiedono alla società medesima. Si richiede inoltre una causa giusta e legittima: chi è infatti preposto alla concessione delle indulgenze non è dissipatore ma dispensatore del tesoro della Chiesa.

Da parte dell'acquirente si richiede: a) che sia battezzato. Possono partecipare dei beni di una società soltanto coloro che ne sono membri: si diviene membri della Chiesa soltanto col Battesimo; b) che sia in stato di Grazia, almeno quando pone l'ultima opera ingiunta: fino a che vi è la colpa, non vi può essere remissione alcuna di pena; c) che sia suddito del concedente (ma se il concedente è il vescovo di una diocesi, possono lucrare l'indulgenza anche tutti coloro che si trovino nel suo territorio)... e) che adempia a tutte le condizioni. Quelle che comunemente sogliono imporsi per l'acquisto sono la Confessione, la Comunione, la recita di qualche preghiera...

Mi scuso di avere integralmente citato (con qualche piccolo taglio) senza riassumere, ma devo confessare d'essere cosciente di non saper nemmeno lontanamente scrivere come invece lo sanno coloro che di tali questioni sottilmente si occupano. Sono troppo rozzo davanti a ineffabili sfumature, a quasi invisibili tinteggiature. Lo scopo di questa lunga trascrizione è comunque quello di dimostrare come la bolla di componenda niente abbia a che fare con l'indulgenza al di là di alcuni aspetti comuni e della comune concessione vescovile.

Indispensabili dunque, per l'acquisto delle indulgenze, sono almeno tre condizioni (oltre al battesimo): confessione, comunione e preghiera. Bisogna essere e mantenersi in stato di Grazia. Ora in nessun punto e in nessun momento la bolla di componenda si sente in dovere di postulare richieste simili. C'era, sì, una finzione di confessione ma si rendeva necessaria perché il compratore della bolla non venisse riconosciuto in quanto tale: egli si inginocchiava al confessionale come qualsiasi altro penitente ma invece di confessarsi sussurrava la sua richiesta, riceveva la bolla attraverso una fessura sotto la grata e per la stessa via consegnava il denaro dovuto. Nel caso che invece venisse venduta dal sagrestano, la bolla era offerta in sagrestia in ore propizie e il venditore stava seduto su di una sedia dietro una spessa tenda. La bolla di componenda poteva quindi essere acquistata a prescindere dal fatto di essere in stato di Grazia.

Altro punto fondamentale è che l'indulgenza non possa in alcun modo essere acquistata per peccati ancora da commettere, vale esclusivamente per quelli già compiuti. Mi sembra perciò molto importante considerare il periodo durante il quale la bolla di componenda si metteva in vendita nelle chiese: da Natale all'Epifania. Che è, come ognun sa, il tempo dei consuntivi e dei preventivi. Mi adeguo al linguaggio burocratico-amministrativo adoperato dall'*Enciclopedia* che parla di acquisti, società, pagamento, debito, tesoro, acquirenti, lucro. Mi si potrà ribattere che tutto questo va interpretato in senso non letterale: d'accordo, ma perché costringere all'interpretazione, quando per Cesare esistono le parole di Cesare e per Dio le parole di Dio?

Sarò meno ermetico a proposito di consuntivi e preventivi: esentata dal pentimento, la bolla di componenda non deve sottostare alla successione temporale colpa-espiazione, può non avere valore esclusivamente retroattivo. Venduta a cavallo tra l'anno che termina e quello che comincia, vale nei due sensi opposti: il passato e l'avvenire.

Non c'è modo alcuno di nobilitare (mi si passi il verbo) la bolla paragonandola a una qualsiasi bolla d'indulgenza, anche la più degenerata. La bolla di componenda è un puro e semplice, ma torno a ripetere devastante, *pactum sceleris:* solo che uno dei contraenti è la più alta autorità spirituale, la Chiesa, qui certamente non *mater* ma cattiva *magistra.*

Un solo reato la bolla di componenda non contemplava: l'omicidio (e contemplarlo sarebbe stato francamente un po' troppo). Ma il siciliano, scrive il professor Stocchi, è «sottilissimo ragionatore e logico impareggiabile».

Come Tano Fragalà.

Diciassettesimo

Alle cinque di mattina di ogni Natale, padre Pirrotta principiava a vendere le bolle di componenda arrivate fresche fresche il giorno avanti dal vescovato: la vendita durava due ore, fino alle sette, e si chiudeva il giorno della befana. In quelle giornate segnate, il parrino si assittava in uno dei due confessionali della chiesa di Vigàta, tirava bene la tendina che aveva davanti in modo di non vedere la faccia di chi veniva ad accattare la bolla, e aspettava i compratori.

Le femmine che in quelle due ore capitavano per la prima e la seconda messa, affidate a padre Jacolino, si pigliavano cura di assistimarsi in una posizione tale che l'occhio non venisse a cadere verso il confessionile. «Chi meno conosce, più campa e più cresce», faceva un proverbio, ed è regola santa, soprattutto quando le cose che si vengono a conoscere diventano pubbliche, davanti a numerosa compagnia: allora uno non può più tirarsi solo il suo ma deve stare attento a quello che dicono gli altri. E in mezzo a questi altri ci può essere sempre qualche testa piena di vento che per il solo gusto di parlare finisce che ti porta a rovina. Le femmine perciò non taliàvano da quel lato, ed erano spesso obbligate a scialare il tempo, a fare finta che s'erano perse il rosario o lo sciallino, per dare il giusto commodo agli uomini. Perché la fermata di ogni compratore era sempre lunga, non si trattava solo di pagare e mettersi in sacchetta il foglio che il parrino allungava da sotto la grata. Prima di tutto c'era il problema della segretezza. Chi si apprisintava per accattare la bolla, dato che delinquente era o delinquente stava per diventare, non aveva nessun interesse a farsi arriconoscere, magari se si sapeva che padre Pirrotta, in confessione o no, era più muto d'una tomba, tanto è vero che a settant'anni ancora campava. Quindi l'accattatore, stando a ginocchiuni come per confessarsi, o parlava così vascio che il parrino le domande doveva farsele ripetere due o tre volte, oppure si stracangiava tanto la voce che a Pirrotta pareva di trovarsi in mezzo ai turchi.

Poi, considerato che i clienti del parrino erano tutti analfabetichi, c'era sempre da dare spiegazioni e fare i conti giusti. Le cose non erano mai semplici: nei venti «titoli» della componenda (che costava una lira e tredici e dava facoltà al compratore di ritenere *con tranquilla coscienza* roba rubata fino al valore di lire trentadue e ottanta) corruzione, furto, abigeato, adulterio, falsa testimonianza, rapina e altre colpe e reati si dispiegavano e fra loro s'intrecciavano con cattolica fantasia, sicché spesso padre Pirrotta veniva investito della funzione di guida illuminata in quei meandri.

«Parliamo latino, bello chiaro. Di quanto è stato il ricavato?».

«Trentadue lire ».

«Nette?».

«Nonsi. E novanta centesimi».

«E allora di bolle ce ne vogliono due».

«Per solo dieci centesimi in più?».

«Sissignore».

«E che me ne faccio della differenza?».

«La mettete in conto per un'altra volta».

«E se di quei dieci soldi ne faccio limosina?».

«Ce ne vogliono sempre due. Quei soldi di differenza non sono vostri, lo volete capire, santo cristiano?».

«E se li torno darrè al proprietario?».

«E bravo! Così quello vi denunzia e vi manda in galera. La bolla vi garantisce solo l'anima».

Certe volte i discorsi erano tanticchia più complicati, di domanda in domanda pareva a padre Pirrotta di calarsi nella valle di Giosafatte, dove dicono che c'è sempre fumo e neglia.

«Parliamo latino. Tu stai azzappando la vigna quando a un certo momento ti trovi davanti questa signora furastera. Tu lo sapevi che ci aveva l'intenzione?».

«Me l'aveva fatto accapire. Erano due giorni che mi orliava mentre travagliavo e mi taliàva».

«Va bene. E con la scusa che s'era fatta male a una gamba, si fece pigliare in collo da te e portare in un pagliaro. Giusto?».

«Sissi. E dopo m'ha dato venti lire».

«E qui sta il busillisi. Sai se è ricca?».

«È sempre piena di anelli, collane e braccialetti».

«Levami una curiosità. Mentre la godevi dentro il pagliaro, sapendola ricca, non t'è passato per la testa che avresti potuto magari guadagnarci qualche cosa?».

«Beh...».

«Sì o no? Attento che siamo in un confessionile».

«Sissi».

«Allora ci vuole la bolla. Anzi sai che ti dico? Pigliatene tre o quattro, sono persuaso che a questa signora la gamba ci farà male ancora».

E da dieci anni, puntualmente ogni matina di Natale, alle cinque spaccate che a padre Pirrotta non gli dava manco il tempo di assittarsi, compariva Tano Fragalà. Veniva a faccia scoperta, non faceva manco finta di confessarsi, s'impalava dritto dritto davanti al parrino, tanto tutto il paese conosceva la sua intenzione.

«Ci sono novità quest'anno nella bolla?».

Pazinziuso, il parrino tirava un sospiro e rispondeva: «Non ci sono novità. C'è componenda per il furto e voi non avete arrubbato mai manco un tarì. C'è componenda per le cose vastase e voi non avete mai fatto torto alla bonarma di vostra moglieri. C'è componenda per la farfantarìa e voi avete sempre detto la verità. Mettetevi il cuore in pace, don Tano: quello che voi volete non ci sarà mai scritto sulla bolla».

E Tano Fragalà ripigliava a piedi la strada verso il suo dammùso in cima alla punta Capizzi, un'ora per scendere a Vigàta e un'ora e mezza per tornare, dato che veniva d'acchianata. Dieci anni prima Luzzo Pagliuca, uno che si diceva avesse sbirginato di forza una picciliddra di dieci anni scannandola dopo come un agnello, per una questione di lìmmita, per un fituso palmo di pietre spostate sul confine tra il campo di Luzzo e quello suo, gli aveva fatto trovare il figlio Santino con la testa spaccata sulla trazzera, e non c'era stato niente da fare, il picciotto era morto due ore dopo senza arrinesciri a dire il nome di chi l'aveva ammazzato. Ma con la testa e con gli occhi faceva disperatamente zinga verso la casa di Luzzo, e un padre capisce quello che il figlio vuole dire senza bisogno di parlare. Disperato, afferrata la roncola, aveva principiato ad avviarsi quando sua mogliéri Maria, ancora inginucchiuni allato al figlio che gli stava chiudendo gli occhi, aveva fatto una gran voce:

«Tano! Pensa all'inferno! Non ti addannare l'anima!».

S'era paralizzato di colpo, aveva lasciato cadere la roncola.

Davanti al delegato Cumbo, Luzzo Pagliuca dichiarò che lui il giorno che era stato ammazzato Santino non si trovava manco a Vigàta, era andato a cercare due amici di Fela che, al bisogno, non si contrariavano a testimoniare. E così, ogni volta che si incontravano faccia a faccia, Luzzo si poteva pigliare il lusso di fargli una risatina di sfregio. Non passarono manco sei mesi dal fatto, che magari la signora Maria se ne andò, consumata fino all'osso dal dolore: e da allora Tano non pensò più ad altro, come fare ad ammazzare Pagliuca senza sprofondare nelle fiamme eterne. L'unica era la bolla di componenda ma di omicidio, in quella carta, non se ne parlava. La prima volta che, mentre si stava per davvero confessando, aveva spiato a padre Pirrotta se c'era speranza che un giorno o l'altro venisse fatta una componenda per un'ammazzatina giusta e santa, il parrino si era tanto arraggiato che non aveva voluto dargli l'assoluzione.

Mancavano pochi minuti alle sette di matina della iurnata della befana e padre Pirrotta si stava susendo dal confessionile per andarsene in sagrestia quando sentì la voce di Tano Fragalà che dalla porta della chiesa gli diceva di aspettare un momento. Appena l'ebbe a tiro, il parrino scatasciò.

«Ve l'ho detto tredici giorni fa! A Natale! Non c'è niente nella bolla che vi possa interessare! Siete una testa di ferro! Peggio di un mulo!».

«Presto, datemene una».

Padre Pirrotta strammò.

«È sempre per la solita questione?» spiò incerto.

«Sissi».

«Ma questa cosa che volete non c'è, nella bolla! E se ci fosse, la bolla costerebbe quanto l'intero universo creato!».

«Una sola basta e superchia».

Ammammaloccuto, padre Pirrotta con una mano gli diede la bolla e con l'altra ritirò i soldi.

Tano aspettò con pazienza, assittato a un tavolino della putìa di vino di Totò Bellomo, che arrivasse l'ora in cui, senza sbagliare minuto, Luzzo Pagliuca veniva a farsi il primo quarto. E infatti alle otto spaccate Luzzo trasì e fece una risatina a Tano, alle otto e due si bevve il primo moccone, alle otto e tre voltò le spalle a Fragalà e si bevve il secondo moccone con i gomiti appoggiati al banco, alle otto e quattro stava steso per terra con un gancio di vucceri affondato nella

103

gola dalla cui sgarratura niscivano sangue, vino e vita.

«E ringraziami» disse Tano Fragalà al morto ripigliandosi il gancio per ridarlo al macellaio che glielo aveva prestato «che ti ho fatto sparagnare l'agonia».

Il delegato Cumbo con una guardia andò per arrestarlo nel dammùso di punta Capizzi. Tano, che aveva messo tutto in ordine nella casina, parse contento di vederli. Siccome l'acchianata l'avevano fatta di corsa, il delegato e la guardia avevano il fiato grosso.

«Col vostro permesso ci riposiamo tanticchia» fece Cumbo «e poi ce ne scendiamo tutti e tre a Vigàta».

«Volete favorire un bicchiere di vino?» spiò Tano. I due favorirono. E fu mentre beveva che il delegato vide silenziose lagrime colare sulla faccia di Fragalà.

«Fatevi coraggio» disse piatoso «magari succede che in galera avrete più compagnia di quella che avete avuto qua negli ultimi tempi».

«Non è questo».

«E allora che è, rimorso? Don Tano, siamo tra amici e possiamo parlare. Io sono stato sempre persuaso che fu Luzzo ad ammazzare vostro figlio, ma non potevo farci niente, non avevo prove. E poi quello scilirato che era, omu? Era una vestia, un porco».

Un gran sorriso sulla faccia, per poco Fragalà non gli buttò le braccia al collo.

«E io come l'ho ammazzato? Non l'ho ammazzato come un porco, col gancio? E da porco l'ho fatto stimare: pesava ottanta chili, valeva dieci lire. Ne posso ammazzare altri due, come a Luzzo, e ancora mi restano ottanta centesimi di scialo».

«Che minchia di ragionamento!» fece il delegato «d'accordo per la stima, Luzzo non valeva manco dieci lire, almeno il porco dopo averlo scannato te lo mangi. Ma resta il fatto che voi avete ammazzato un cristiano».

Col dito, Tano fece signo di no.

«Che volete sostenere, ora, che non l'avete scannato?».

«L'avete vista la carta di morte dell'avvocato Sciaìno che è appizzata al muro?» spiò Tano facendosi gli occhi di volpe.

«E che c'entra?».

«C'entra. Stamattina presto, a Vigàta, c'era questa carta di morte su un muro. Io non ho né il leggiuto né lo scrivuto, e per questo piangevo un minuto fa, perché se sapevo leggere e scrivere a Luzzo lo potevo ammazzare prima. Allora, dato che lì vicino c'era il maestro Contino, l'ho pregato di dirmi quello che c'era scritto sulla carta. E mi si inchiovò subito nella testa quello che principiò a leggermi: "all'affetto dei suoi cari è stato rubato" ...Rubato! Rubato, mi capite, delegato? Mi sono sdirrupato in chiesa perché se non facevo in tempo mi perdevo un altro anno e ho accattato la bolla dove c'è la componenda per ogni tipo di arrubbatina. Io non ho ammazzato Luzzo, io Luzzo manco l'ho visto, ho solamente arrubbato un porco e a questo porco ho arrubbato la vita, come diceva la carta appizzata».

«Ma dire porco a uno è una metafora!» scattò Cumbo che era uomo di lettura. «E magari metafora è dire che uno è stato rubato all'affetto dei suoi cari!».

«Metà fora o metà dintra» replicò sereno Tano Fragalà «io ora ho tranquilla coscienza».

Diciottesimo

Mi sono abbandonato alla fantasia, all'invenzione, e forse è atteggiamento disdicevole in un contesto tanto serio: ma è stato come un istintivo gesto di autodifesa, un tentativo inutile di fuga.

Se ho messo mano a questa ricerca, e l'ho magari scritta, è stato soprattutto perché mi è parso giusto dare una risposta, sia pure con centotrent'anni e più di ritardo, a due persone che tentarono di farsi conto e ragione di certi andamenti difficilmente comprensibili dell'animo della mia gente. Magari se adesso il problema a loro, dal posto dove si trovano, può apparire assai lontano e futile.

È vero, bisognava primeramente conoscere e studiare le «cagioni» di uno stato di cose. Devo dire al professor Stocchi che, sotto questo riguardo, pace non ne potrà trovare. Tutte le inchieste sulla Sicilia, fino a quella di ieri, nel labirinto delle «cagioni» non hanno mai voluto addentrarsi, sia che venisse offerto loro il filo di Arianna o un sofisticatissimo computer.

E perciò si sono sempre limitate a descrivere un paesaggio ai loro occhi di necessità indecifrabile e a cercare di modificarlo con maldestre, rozze pennellate di alti commissariati, superprocure, supergiudici, senza conoscere il tocco del pittore, la tela, la composizione dei colori. Sicché ogni volta è bastato un solvente a portare alla luce il vecchio paesaggio intatto, perfettamente restaurato.

E in quanto ad Avogadro di Casanova, il signor Tenente Generale aveva visto benissimo come avrebbe dovuto procedere una vera inchiesta e lucidamente aveva inoltre individuato una di quelle barriere (ma era già tantissimo) che ostacolavano il procedere della civiltà in Sicilia, per usare le sue stesse parole. Solo che indossava una divisa e nelle questioni militari veniva ritenuto (ed era) espertissimo: i problemi quindi li doveva affrontare dal punto di vista militare. Soldato era, che non si impancasse a fare il filosofo o il sociologo, mandasse cartine e grafici della dislocazione delle truppe, non bolle di componenda.

Che l'uso della bolla di componenda sia scomparso non può che rallegrarmi anche se rimane la componenda. Ma se mi tornano a mente quegli anni che furono detti di piombo, della bolla di componenda mi assale una sottile nostalgia. Quelli che ritennero necessaria l'invenzione e l'azione del terrorismo erano in buona parte di provenienza cattolica e pensate con quanto entusiasmo avrebbero accolto la bolla. Per fare intelligente uso della metafora, come il contadino del mio racconto, non avrebbero certo avuto bisogno di sforzarsi. La bolla però ci avrebbe risparmiato, non la scia di sangue certamente, ma la tarantella dei pentimenti, delle dissociazioni, della crisi di coscienza, dei rimorsi, dei distinguo, dei cristiani perdoni. Tutti, assassini e no, innocenti o colpevoli, avremmo goduto di *tranquilla coscienza*.

Quando il disegno di questo scritto mi divenne chiaro, dissi a Leonardo Sciascia che avrei voluto scrivere qualcosa sulla bolla di componenda. Non ne sapeva niente, conosceva solo la componenda, quella laica. Allora gli spiegai di cosa si trattava e lo pregai di aiutarmi bibliograficamente (altra volta l'aveva fatto con molta amicizia). Dovevo assolutamente trovare una bolla di componenda originale per dare maggior credito a quanto avevo in mente di scrivere. Fece una pausa, mi taliò, sorrise del suo sorriso. «Tu una carta così non la troverai mai» mi disse.

E infatti non l'ho trovata.

(1991-92)